お金は銀行に預けるな

金融リテラシーの基本と実践

勝間和代

光文社新書

はじめに

私はこれまで、ＪＰモルガン、マッキンゼー、アンダーセンなどの外資系企業で、コンサルタント、トレーダー、そしてアナリストとして16年間、金融相場の分析や取引、新しい金融商品の設計などにプロとして関わってきました。

一方、１９９７年から、ワーキングマザーを対象とした「ムギ畑」(http://www.mugi.com)という会員制のインターネット・コミュニティの運営をボランティア活動として継続して行っています。これは、私自身が三人の子どもを持ちながら日本で働くことの大変さを痛感し、それを少しでも緩和しようとして始めたことです。

こうした仕事とボランティア活動の双方の貢献が評価されたのでしょうか、２００５年にはアメリカの「ウォールストリート・ジャーナル」紙から「世界の最も注目すべき（これからの世の中を変えうるリーダー候補である）女性50人」に幸いにも選ばれました。

現在は、JPモルガンを辞めて独立し、投資顧問会社を経営しています。同時に、大学院博士課程での研究の傍ら、経済評論家として政府の専門委員を務めたり、新聞や金融専門誌、労働専門誌などへの連載、書籍の執筆などを行っています。

$

このような活動の中、私がライフワークとして考えていることが二つあります。その一つは、現代の日本に生きる多くの人がワークライフバランス（仕事と生活の調和）をもっと上手に整えられるよう、労働時間短縮に向けたしくみ作りを手伝っていくこと。もう一つは、私が専門としてきた金融・経済・会計の知識を社会に還元するために、それを分かりやすく伝えていくことです。

特に金融の一般的な知識に関しては、日本は同レベルの経済力を持つ他国と比べ、その知識の浸透が大きく遅れているのではないかと私は思っています。

実際、この日本では、多くの社会人が時事問題や社会問題、あるいは政治や経済に対してある程度の知識を持っているにもかかわらず、なぜか金融に関する知識だけはびっくりするくらい欠けていると感じることがしばしばあります。

身の周りの知り合いの例でいいますと、こんなことがありました。

司法試験をストレートで受かった秀才が、預貯金もあって特にお金に困っているわけでもないのに、高い金利を払うことになるクレジットカードのリボ払いの基礎的な知識もなく、「便利なんだよ」と、特に疑問を感じることなく使っていました。

また、経済系の官庁に勤めているキャリアの女性から、「ボーナスを運用したいのだけど」と相談を受けて話を聞いてみると、彼女は手数料を見ずに投資信託を買おうとしており、その上、基準価格（投資信託1口あたりの時価）の意味さえ分かっておらず、単価の安い投資信託はお買い得なのかと勘違いをしていました。

このほかにも、私の行きつけのネイリストさんが「お金がなかなか貯まらない」というのでどうしてかと聞いてみたら、クレジットカードのキャッシングに利息がつかないと勘違いして使っていたということもありました。

このような極端な例は別としても、たとえある程度の資産を持っている人でも、その多くは自分の資産を銀行や郵便局などの普通預金や定期預金に預け、「寝かせたまま」にしているのではないでしょうか。

$

ここでまず最初に分かってもらいたいのは、「自分のお金を銀行などの口座に預金として預けてさえおけば安全」であるどころか、それは人生設計上、リスクになるということです。

これはどういうことかといいますと、多くの人が「お金に働いてもらう」ということを知らないがゆえに、本来なら得られるべき収入を実は放棄していることを意味するからです。

このことは本書で具体的に述べていきます。

また、これからは年金の制度もいろいろと変わってきます。２０１２年には適格退職年金制度がなくなるため、私たちが自分たちの裁量で預入先をコントロールできる確定拠出型年金（４０１ｋ）もより盛んになると考えられます。ところが、いまの４０１ｋでは、多くの企業の従業員が元本割れを回避しているために、その拠出額の実に50％以上が預金として〝眠っている〟状態になっています。

お金をこのように眠らせたままにしておくと、２００５年時のように日本の株式などが40％も上がったときにその利益を享受できません。つまり、４０１ｋの導入によって、その運用次第では年金が相対的に減ってしまうような不利なことになりかねないのです。

一方、個人による資産運用では、２００６年はグローバル・ソブリン債、通称「グロソブ債」がブームになり、個人投資家が投資した結果、何兆円もの資産残高を集めました。高利回りと毎月配当型の商品性に魅力を感じた人が多かったためです。

しかし、いったい、実際に投資している人の何割が、このグロソブ債は具体的にどの国にどんな投資をしており、どのようなクレジットリスクや為替リスクを持っていて、その引き替えに何％のリターンを得ているのかを理解しているのでしょうか。おそらく、ほとんどの人はそのスキーム（枠組み）を理解しないまま、銀行や証券会社の窓口で勧められたからという理由で投資をしているのではないでしょうか。

＄

このように、日本では、たとえ知識層であっても金融に詳しくないのは、その背景に「お金のことを人とあからさまに話すのは恥ずかしい」という美学があることや、同じ1万円を稼ぐにも、汗を流して稼いだ1万円の方が、お金を運用することで得た1万円よりも尊いという価値観があるためだと私は思っています。また、学校教育の現場でも、どこもお金については、ほとんど教えていないことも原因の一つでしょう。

しかし、私たちは資本主義社会に生きている以上、金融に対する健全な知識を持たないまま生きるということは、ゲームのルールを知らずに試合をしているのと同じことを意味します。そして、これから本書で詳しく述べていきますが、ルールを知らずにそのまま試合を続けていれば、そこにはさまざまな〝落とし穴〟が待っており、足元をすくわれかねない結果を招くことになります。

しかし、金融の知識を上手に活用していけば、労働からの収入と金融からの収入のバランスをうまくとることができ、現在、社会人の誰もが課題と感じているワークライフバランスをもっと上手に整えることができるのです。

$

本書は、ビジネスや経済、政治や社会問題には自分なりの見方をある程度持っている人で、これまで金融に関してだけは疎《うと》かった人（おそらく日本人の大多数派）が、身の周りの金融商品や金融資産運用について、何をして、どこを中心に情報収集をすればいいのか、そのポイントが分かるような内容を目指しました。

それと同時に、本書を読み終えた1年後には、金融の基礎知識や商品知識をだいたい理解し、自分の意思で資産構成を決められ、おおまかなリスクとリターンを管理できるというところにゴールを設定しています。

また、本書では、貯蓄から投資への移行は月々の積み立てを中心に説明しましたが、すでに十分な資産を持ちながらも預金などに寝かせている方は、月々の積み立てと同じ発想で、半年から一年間、少しずつでいいので、本書で勧める投資方法を実践してみてください。

$

少子高齢化が進む日本は、今後、定年後の公的年金の支給率は切り下げられる可能性が高く、また、自分の勤め先がいつ倒産するかも分からないような状況です。したがって、自分の身を自分で守るためにも、自分自身で資産を管理していかなければならない時代に入ったといえるでしょう。

そのためにも、本書を読んで金融に関する知識を学び「ああそうだったのか」「目からウロコが落ちた」——そんな気持ちになって金融に興味を持ち、自分の生活に実際に役立ててもらえれば幸いです。

第3章 実践

第１章　金融リテラシーの必要性

金融リテラシーとは

まず初めに、この本のタイトルにもなっている「金融リテラシー」という言葉から説明していきたいと思います。リテラシー（literacy）とは何でしょうか？ 手元にある『大辞林』（三省堂）を引きますと「リテラシー＝読み書き能力。転じて、ある分野に関する知識」となっています。また、リテラシーは単独の言葉として使うことは少なく、メディア・リテラシー、コンピュータ・リテラシーなど、他の用語と組み合わせて表現されます。

これに加えて、「知識」や「識字能力」と日本語にせず、わざわざリテラシーという言葉を使うときには、クリティカル・リテラシー（critical literacy）の意味として使われます。クリティカル・リテラシーとは、与えられた情報や知識を鵜呑《う》みにせず、そこで得た情報や知識と学習者個人の経験との相互作用のなかで、統合された世界を自己に引きつけ、それを主体的に読み取らせるための識字教育として定義されます。

すなわち、金融リテラシーとは、金融に関する情報や知識を単に学ぶだけではなく、そこで与えられたものを批判的に見ながら自己の金融に対する学習を経験として重ねていくことで、金融の情報や知識を主体的に読み解くことができるようになることを指します。したがって、本書は、読者が金融を主体的に判断できるようになる視点の素地となる材料を提供することを目的とします。

もっとも、例えば英語の読み書き能力がすぐに身につかないのと同様に、金融のリテラシー、すなわち読み書き能力もじっくりと鍛えていく必要があることはいうまでもありません。

しかし、正しい文法と正しいボキャブラリー、正しい発音を学ぶことが英語を身につける際の王道であるのと同様に、金融に関しても正しいリスク・リターンの関係（＝文法）、各種金融資産の特徴（＝ボキャブラリー）、そして正しい運用のしかた（＝発音）を学ぶことで、より早く、より的確な金融資産の運用ができるようになっていきます。

日本の家計における〝リスク資産〟の割合

まずは図1（20ページ）を見てください。

日本の家計と欧米のそれを比べてみると、日本では現金・預金、次いで保険・年金など〝安全資産〟の保有率が高く、これらに比べて株式や投資信託、債券など〝リスク資産〟の保有率が極端に少ないことがすぐに分かると思います。安全資産とは元本保証のある資産、リスク資産とは元本保証のない資産のことを指します。

とはいえ、ここ最近の日本における「投資ブーム」の影響で、この比率は変わっているの

図1　家計の金融資産構成（2001年末）

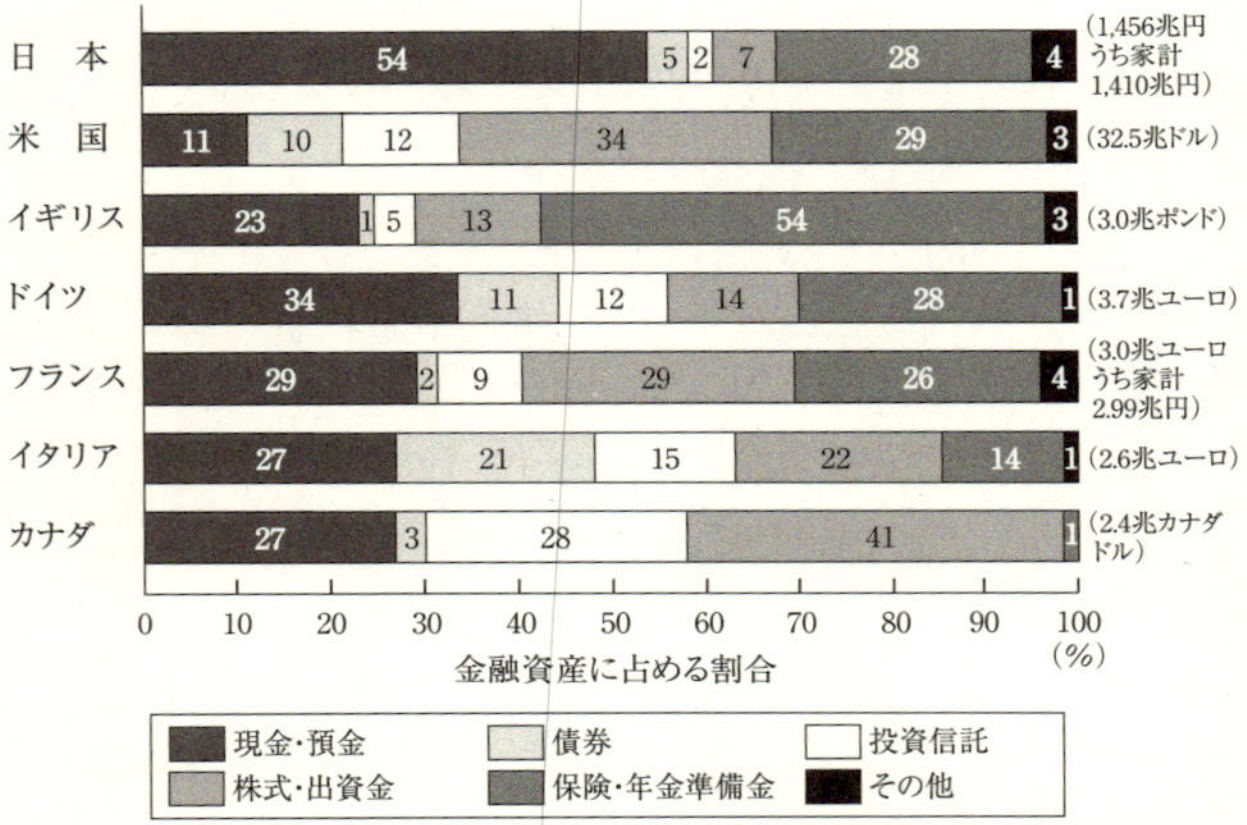

出所：日本銀行「資金循環統計の国際比較」（2003年）

ではないかと思って最近の変動を時系列で分析したところ、それでも預金の占める割合が50%超という状態は変わらず、株式や投資信託の比率は少しずつは上がってきているものの、依然として低いままです（図2）。

もちろん、保険や年金に入っている資産は、その後、機関投資家によって債券や株式に投資されるため、家計に占めるリスク資産の割合は最終的に見かけの数字よりは高くなりますが、それでも他の欧米諸国に比べれば、家計に占めるリスク資産の割合が低いことに変わりはありません。

ワークライフバランスのために

さて、安全資産とリスク資産の差とは何で

図２　家計の金融資産構成の推移

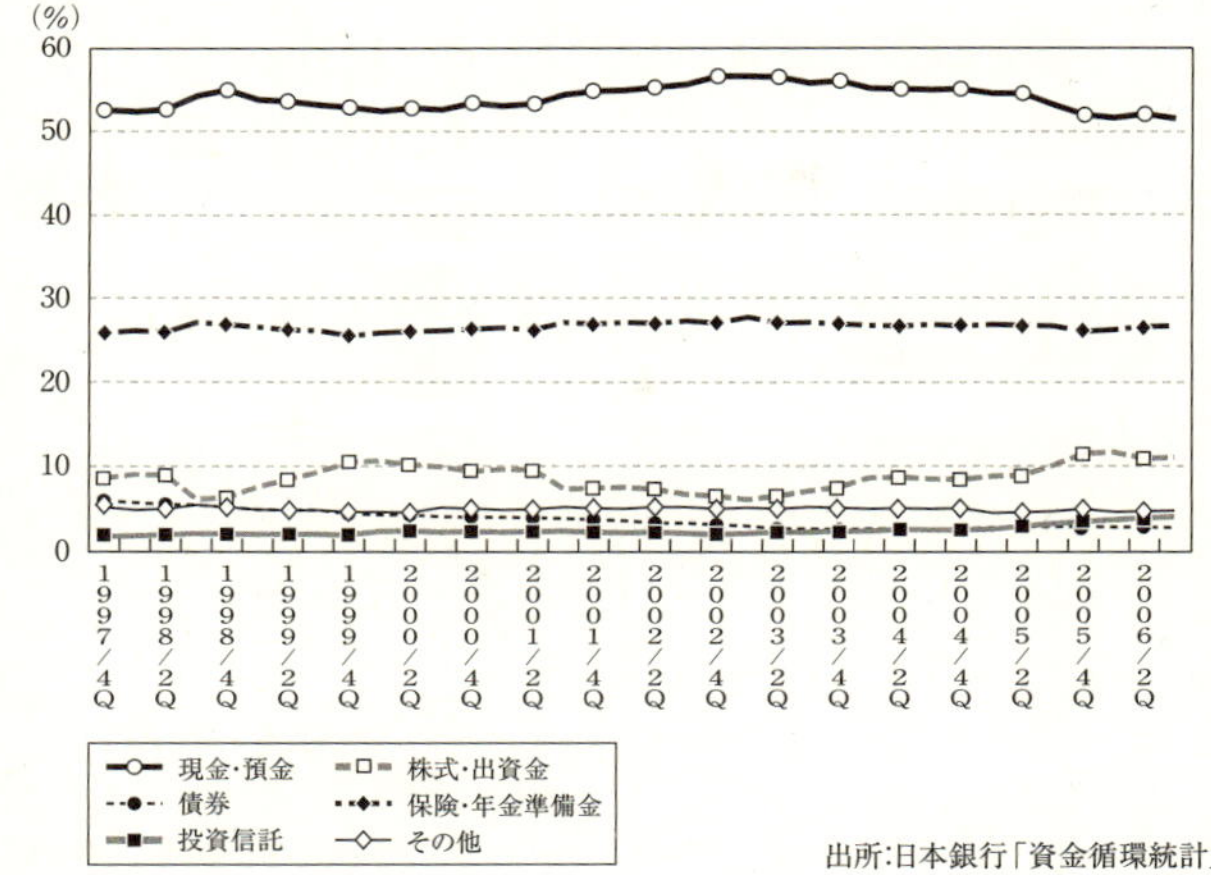

出所：日本銀行「資金循環統計」

しょうか。

安全資産は資産の価値変動の幅が小さく、その結果リターンも低くなります。一方、リスク資産は資産変動の幅が大きい分、高いリターンが設定されています。

例えば、資産を銀行に預けた場合、日本では年に１％を下回る利率分しか得られないのに対し、これを株や債券に投資した場合、毎年、最大で数十％の浮き沈みはあるものの、これを平均化すると、国債や定期預金などの安全資産の利率に加えて４～５％前後のプレミアム（これをリスクプレミアムといいます）を得ることができるのです。

したがって、定期預金に預ければ年に０・５～１・５％の利息しかつかないとすれば、株や債券で運用した場合、統計的には4・5～6・5％の利息がつくということです。つまり、図1で示したリスク資産が低いことの問題点は、資産リターンの低下です。

さらに具体的に述べます。例えば、自分が持っている資産50万円を1％の利率で20年間運用したとしましょう。その資産は最終的に1・22倍＝61万円にしかなりませんが、5％の利率で20年間運用すると、最終的に2・65倍＝132・5万円になり、2倍以上もの差がつくことが分かります。つまり、安全資産の比率を高くすればするほど、資産が目減りするリスクは避けられるというメリットはあるものの、リターンも得られないということです。

そして、安全資産を多く持っているということは、家計に占める資産のほとんどを労働による収入に頼らなければならないことを意味します。ここに、日本と他国の差があります。安全資産、すなわち預金を多く持てば持つほど、同じ資産額をリスク資産で運用している人に比べ、長時間働かないと同じ分だけの収入を稼げなくなります。

そして、私たちがそうやってリスク資産を回避し、労働力による収入を生活の中心に組み立てれば組み立てるほど、より長時間労働に頼らざるを得なくなるのです。その結果として起きている大きな問題の一つが、少子化です。

金融資産の配分と少子化の問題は直接結びつかないように感じるかもしれませんが、ここで、少子高齢化の原因を他国と比較してみると、日本では、次の二つの要因が数多くの分析によって指摘されています。

① 労働者の労働環境が整っていないため、女性が働きながら子どもを産むのが難しい

② 男性の育児・家事への参加時間が他国に比べて極端に少ない

この二つの要因を引き起こしているものが、長時間労働です。そして、金融資産収入が多ければ、今ほど長時間労働をする必要はありません。さらに、転職に伴う一時的な収入ダウンがあったときでも、金融収入で補うことができれば、その後の再就職時における理不尽な長時間労働の要求を突っぱねることも可能です。

ところが、現在の多くの企業では、勤務者、特に正規雇用者は長時間労働を「暗黙の了解」として期待されています。そして、労働以外による収入の手段が乏しい場合、長時間労働を受け入れやすい下地が全体にできてしまうのです。さらに、失職がそのまま生活の不安につながるときは、その傾向はますます強くなるでしょう。

その結果、女性は子どもを持ちながら働くことが困難になります。また、男性も普段から

長時間労働と長い通勤時間で疲労がたまっているため、家庭への家事・育児参加が肉体的にも精神的にも困難になるのです。そのため、少子高齢化が進んでいるのです。

したがって、この少子高齢化を食い止めるためにはワークライフバランスの改善が必要だといわれていますが、その一つの方法が、家計がよりリターンの高い金融資産を持ち、労働収入にすべてを頼らない収入を持つことだと私は考えています。

もちろん、これまで通り勤勉に働くことで金融収入に頼らずに済むという考え方もあるでしょう。しかし、単純労働においてはアジアを始めとする発展の目覚ましい他の国々の安い人件費に日本はかないません。これまで日本の産業成長を牽引してきた自動車、エレクトロニクスなどの工場の多くが、中国、マレーシア、ベトナムなどの海外に移転したことを見ればそれは明らかです。

また、ＩＴの進展によって、熟練労働もどんどん代替されてきています。これまで熟練工しかできなかったような作業も、センサーやＣＡＤ（コンピュータによる設計支援ツール）、画像分析などの技術の発達で、オペレータが一人いれば、その作業をブレなく仕上げられるようになりました。

こうした結果、日本において労働収入によってこれまでと同じ収入を稼ぎ続けようと思え

図3　日本の家計による金融商品の選択基準（2006年）

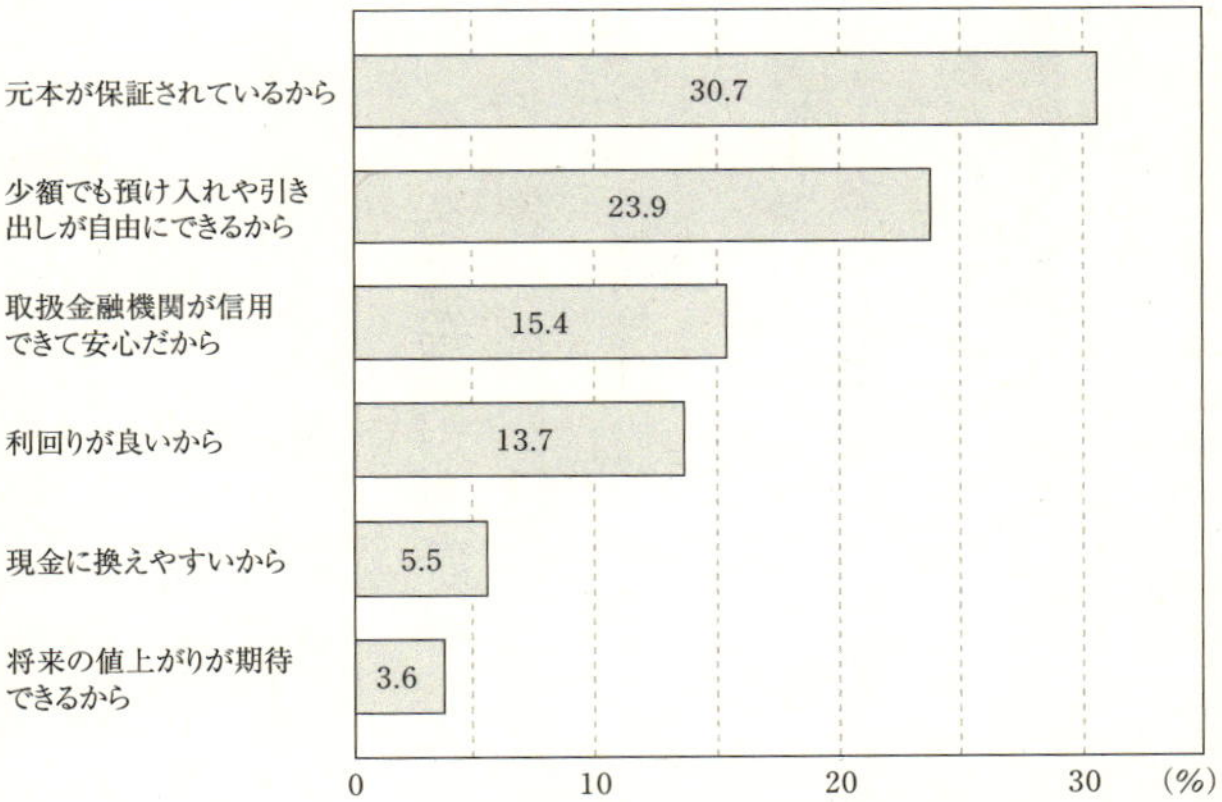

出所：金融広報中央委員会「家計の金融資産に関する世論調査」

ば思うほど、よりきつくて難しい仕事を長時間せざるをえなくなるのです。

そして、このことはもはや持続可能な方法ではないということは、今、組織に勤務している労働者の多くの人が実感として抱いているものではないでしょうか。

日本人は本当にリスク回避的なのか？

さて、一般的に、日本人がリスク資産を持たないのは、日本人がリスク回避的であるからといわれています。

また、家計における金融商品の選択基準も、図3に示すように、元本保証があるということが最も重視されており、その通説を裏づけるような結果になっています。

しかし、大阪大学大学院の木成勇介氏が行った２００６年の調査（"What causes the difference? Analysis of risky asset share between the United States and Japan"）では、次の質問をした場合、日米ではリスク許容度に統計的に有意な差は出なかったという発表をしています。

問い　あなたの仕事に対する報酬の支払い方法はどちらがよいですか？

①　半々の確率で現在の報酬の2倍になるか30％減になる

②　5％増で確定している

この質問に対して、リスクの許容度について効用関数（ある行動を取った場合、それに対してどのくらい好ましいかという感覚を数値化したもの）に基づいて数値化をすると、日本人の平均は０・２０６、アメリカ人の平均は０・２１５という結果が出ました。

この数値は小さければ小さいほどリスク回避的、大きければ大きいほどリスク愛好的となりますが、この数字から日本の方がアメリカよりはわずかにリスク回避的であるといえますが、この差は統計的に有意といえる数値ではありません。

図4　家計部門の総資産残高の内訳（2000年）

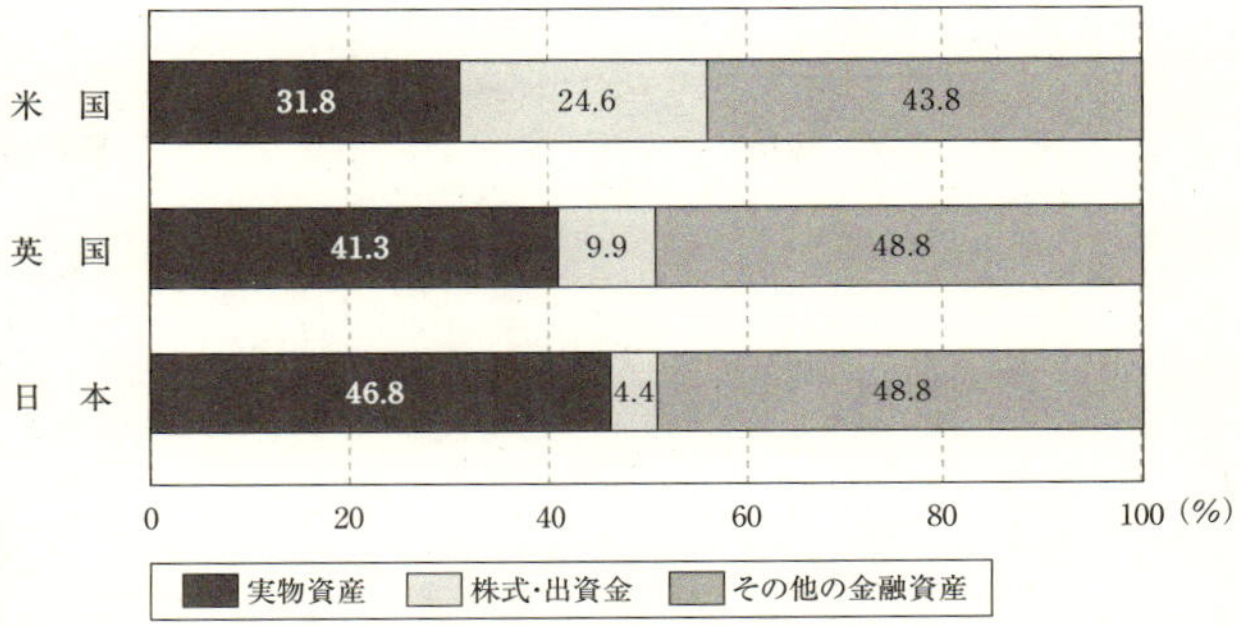

（注）　対家計民間非営利団体の計数を含む

資料：内閣府「国民経済計算年報」。米国FRB「Flow of Fund Accounts of the United States」
英国ONS「United Kingdom National Accounts - The Blue Book」に基づいて作成

出所：家計の資産選択におけるリスクテイク（ニッセイ基礎研究所、2002年2月）

この結果だけを見ると、日本人がリスクを好まないということを国民性と結びつけて結論づけるのは難しいようです。これは、私の実感にも即しています。このほかにも、例えば土地・住宅のような実物資産を含めた場合、家計部門の総資産に占めるリスク性資産の割合は、日本、イギリス、アメリカを比べると、「日本人はリスク回避的」といわれているほどの差はありません（図4）。

これらは何を意味しているのでしょうか。つまり、私たち日本人は、自分たちが思うほどリスク回避的ではないということです。

ただ、逆にいうと、これまでは住宅や土地がリスク資産としての役割を果たしていたため、リスクを取る必要や余裕がなかったとも

図５　日本の家計による金融商品の選択基準の推移（2004～2006年）

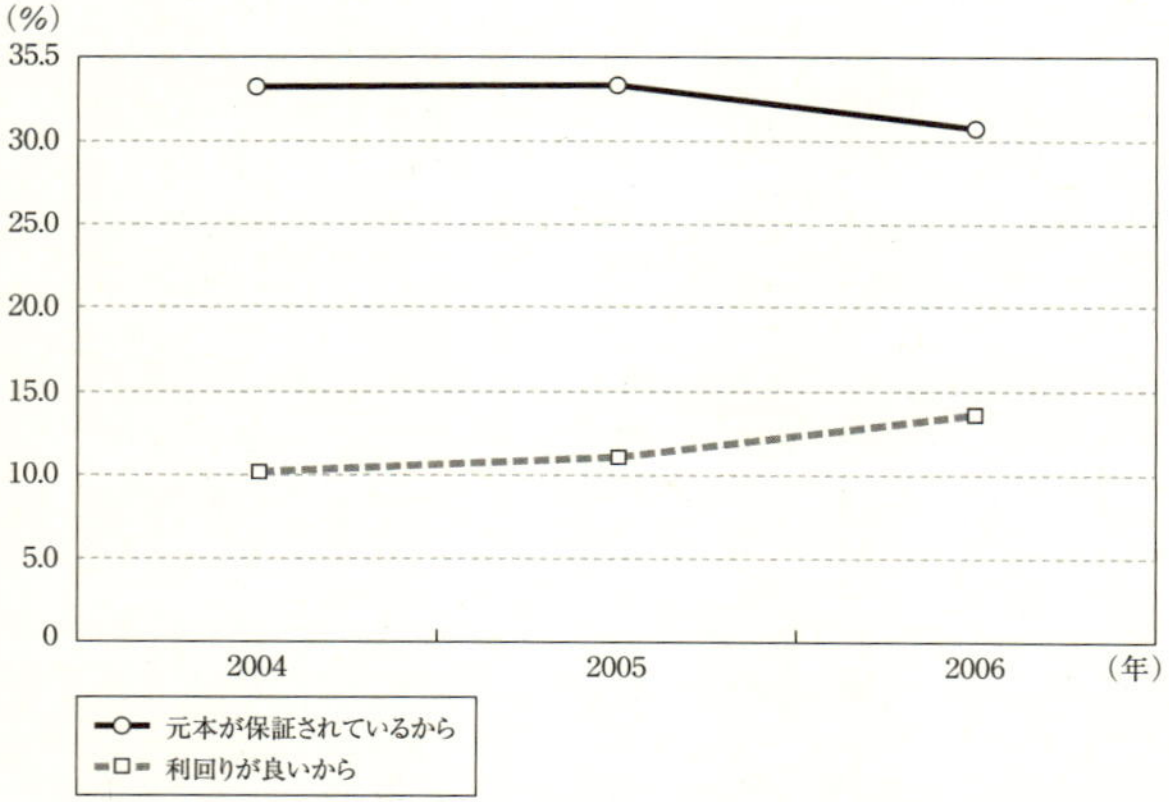

出所：金融広報中央委員会「家計の金融資産に関する世論調査」

いえます。しかし、特に２０００年以降は住宅や土地の値上がりを見込みにくくなったため、私たちの金融資産に対する嗜好も、少しずつではありますが安定重視からリターン重視に変化しつつあります（図５）。

リスクを取らないのはなぜか？

リスク選好に差がないにもかかわらず、日本人がリスクを取らない、あるいは取れないのはなぜでしょうか？

それは、金融リテラシーの不足が原因であると私は考えています。なぜなら、日米の金融資産を例にあげて比較すると、次のような傾向があるためです。

傾向①　日本では金融・保険従事者によるリスク金融資産保有比率が高く、それ以外の人の保有率は低い。しかし、アメリカではそのような傾向は見られないこと

傾向②　アメリカに比べて日本のリスク資産の方が変動幅が高く、ハイリスク・ハイリターンであること

傾向①については、前にも引用した大阪大学大学院の木成氏による2006年の調査にその指摘があります。実際、日本で金融機関に従事している人や金融に関わる仕事をしている人は、普段の会話でも資産運用をどのようにするべきかということはよく話題になりますし、有利な商品・不利な商品についてもよく知っています。

一方、アメリカでは金融の仕事に関わっていない人でも金融商品に対する意識が高く、さらに、それに対してよりどん欲であり、より情報交換をしているといえるのではないでしょうか。

特にアメリカは、401kといわれる確定拠出型年金制度が1978年にすでに導入されていることからも分かるように、自分の年金を自分のライフスタイルやリスク許容度に応じて運用をするのが当たり前になっているため、金融に対する意識が高いと考えられます。

図6　確定拠出型年金と確定給付型年金の違い

	確定拠出型年金	確定給付型年金
掛け金（積立金）	あらかじめ確定	運用実績などにより変動
給付額	運用実績により変動	あらかじめ確定
運用指示と運用責任	加入者（従業員）	企業
運用プランの変更	できる	できない
勤め先を変わったときに年金を持っていけるか	あり	なし
掛け金拠出の主体	企業型：企業	企業
	個人型：個人	
個人の資産状況	分かる	分からない

筆者作成

これに対して、日本では確定拠出型年金を採用する企業は徐々に増えてきたものの、その認知度はまだまだ低く、2005年末時点で企業型が168万人、個人型が5・7万人にとどまっている状況です。また、図1で指摘したように、個人におけるリスク資産保有率も低いままです。

ここで、確定拠出型年金について詳しくない人のために、これまでの年金（確定給付型年金）との差を図6にまとめましたのでご参照ください。

$

傾向②については図7を見てください。

これは、1998年から2007年1月までのTOPIXおよびS&P500の月次リ

図７　TOPIXとS＆P500の月次リターンの分布
（1998年から2007年1月まで）

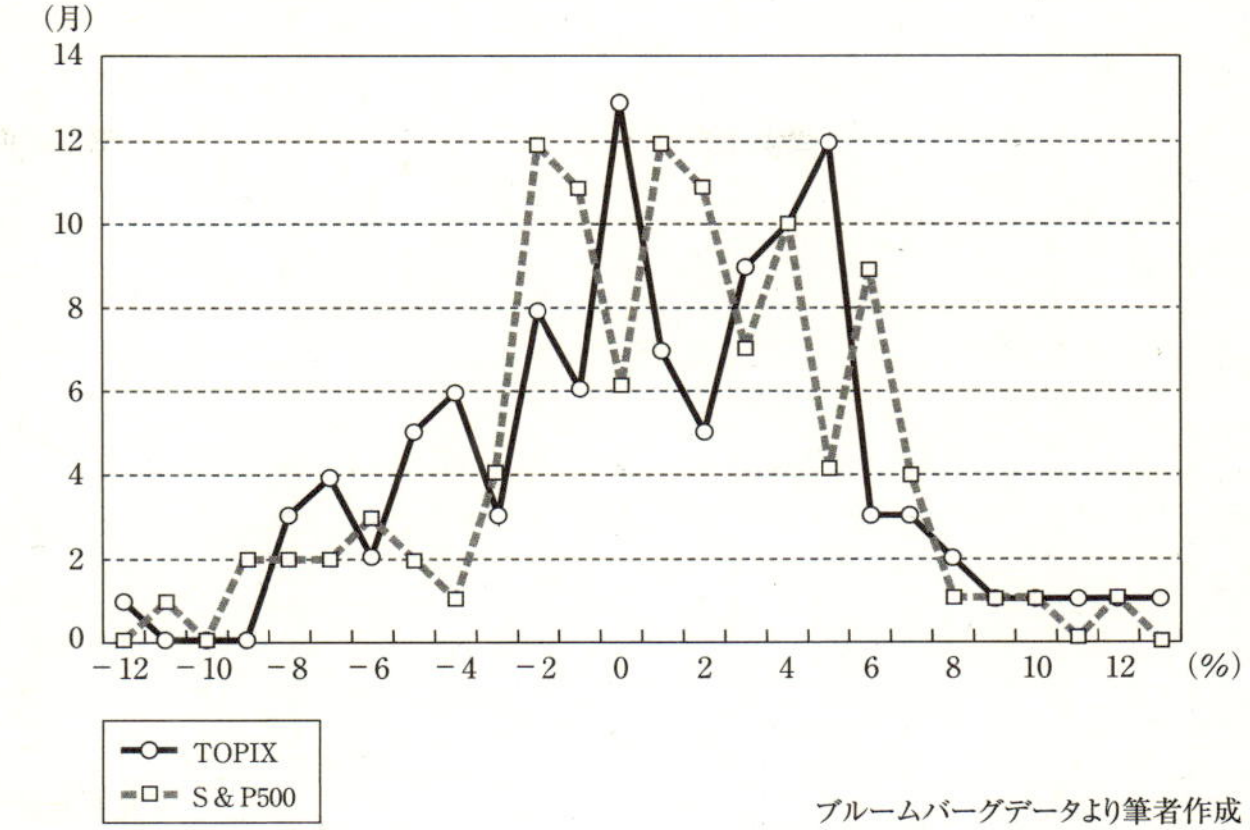

ブルームバーグデータより筆者作成

ターンをまとめたものです。Ｓ＆Ｐ５００はアメリカのＴＯＰＩＸにあたるような指標ですが、このグラフが示すのは、ＴＯＰＩＸの方がＳ＆Ｐ５００よりも月次の損益のブレが激しいということです。

例えば、ＴＯＰＩＸでは月次で４％以上安くなった月は１０７カ月中、21カ月もありますが、Ｓ＆Ｐでは13カ月しかありません。同様に、４％以上のリターンがあった月は35カ月ですが、Ｓ＆Ｐでは31カ月です。

その結果、月次平均で見るとＴＯＰＩＸは０・40％、Ｓ＆Ｐ５００は０・44％のリターンとなっています。

変動幅が高い資産ほどリスクが高いわけですから、リターンが高くないと投資をする側にとって割に合わないわけです。したがってこの数字だけを見た場合、日本株の方がS&PよりもリターンIが低いから割に合わないと勘違いしてしまうかもしれません。

しかし実際には、「リスクフリー」といわれる元本割れリスクがない資産に対する金利水準が日米では異なるため、金利水準を考慮した後のリスクプレミアム、すなわち株の平均リターンからリスクフリーレート（主に国債のリターンから求めます）の分、日本株の方が高くなっているのです。つまり、傾向②の指摘の裏側を読むと、日本でリスク資産を持っていればハイリターンを得られる可能性が高いにもかかわらず、実際にはリスクを取っている人は少ないということです。

株を例にあげてより具体的に説明しましょう。日本の株は以前に比べてものすごく下がったという印象を多くの人が持っていると思いますが、１９９８年から見ると平均リターンは大きくプラスとなっており、長い目で見れば、株を買っていた方が国債や定期預金を持つよりはよかったことになるのです。

例えば、１９９８年に株に投資をしていれば、２００２〜２００３年に株が大きく安くなったときを含めても、２００７年までに年率３・４％のリターンとなっているのです。もし、同じ年に10年国債を買っていたら１・５％のリターンにしかならなかったのです。これがまして銀行預金だったら、もっと利率が小さいことになります。

しかし、ここで注意しなければならない点は、高いリターンには常に高いリスクが伴うということです。ものすごく儲かる月もあるし、とても損をする月もあります。そのリスクを理解し、コントロールできる知識がなければいけません。多くの人は、その知識がないためにリスクを取るのをためらうのでしょう。

つまり、傾向①と②から、やはり金融リテラシーの不足による行動の違いを読み取ることができます。日本ではこれまでリスク資産の変動が大きかったため、ある程度の専門知識を持ってないと、株などに対して手をなかなか出しづらかったのです。

逆にいえば、金融リテラシーを身につければチャンスがより広がることになります。なぜなら、金融リテラシーがあれば、株などの損益の変動は当たり前だと考えられるようになり、また、シナリオの変動を頭に描けるためにバタバタしなくて済みます。しかし、それを身につけていないと、損益の変動にアタフタし、結局、高いところで買って安いところで売ることが多くなり、「株や債券は儲からない」という印象を強くしてしまうのです。

金融リテラシーの能力とは

金融リテラシーがどのようなものか少し分かったところで、私たち個人が日常生活に必要とする金融リテラシーについてもう少し分かりやすく説明しますと、具体的には次のような能力になります。

▼金融の役割について、直感的に理解できる力
▼金融の基本的な理論、特にリスクとリターンの関係を理解する力
▼個別の金融商品について、情報を正しく入手する力
▼入手した情報の中から、コストを見抜く力
▼入手した情報の中から、リスクを見抜く力
▼入手した情報の中から、期待リターンを計量する力
▼上記を組み合わせて、自分に合った資産ポートフォリオを作る力

このような金融リテラシーをしっかりと持っていれば、日本でもリスク資産からリターンを得ることは可能だということです。実際、私は2007年3月に、「日経マネー」を出版

する日経ホーム出版社で集計した、個人投資家約8400名のアンケートを分析したことがありますが、正しい金融リテラシーを身につけて金融資産を運用している人は、その多くがしっかりとしたリターンを得ているのに対し、誤った知識で運用をしている人の多くは損をしているという結果が統計的に有意な水準で出ました。

さらに、これまで運用に熱心な一部の人だけが趣味で運用をしていたという印象のある金融資産ですが、2012年には適格退職年金の制度が廃止され、それに代わって確定拠出型年金（401k）が増えてくるため、私たちは自分たちで年金の運用方法の指図をしなければならないことは前に述べた通りです。したがって、自分たちの年金の自衛も含めて金融リテラシーを身につけ、しっかりとリスク資産を取りながら自分たちのリターンをコントロールしていく必要があります。

でも、心配することはありません。金融の勉強は語学の勉強より簡単なくらいです。なぜなら、私たちは毎日お金を使ったり受けとったりしているので、金融は語学より、より身近なものであるからです。ただ、語学と同じように、文法・ボキャブラリーといったような正しい基礎知識を身につけることが必要です。

これから、どのような知識が必要か、どうやってそれを学ぶかということを第2章以降で説明していきますが、第1章では、日本人はなぜこれまで金融リテラシーが低かったのかということにもう少し触れたいと思います。なぜなら、勉強をするにあたっては、勉強の具体的な方法よりも、その勉強をしたいという動機づけの方がより重要だと考えているためです。

金融リテラシーが低い理由

では、なぜ、平均的な日本人は金融リテラシーが低い、いい方を変えると、金融で儲けることにあまり興味がなかったのでしょうか？　私は、次の二つが大きな理由だと考えています。これは、他国、特に先進国と比較するとその差が際立ちます。

①　学校教育および家庭内教育で金融リテラシーが軽視されてきた
②　社会人になると長時間労働で忙しく、金融リテラシーを磨く暇がない

①については、日本では「お金のことを堂々と話すのははしたない」あるいは「労働で稼いだお金の方が金融の運用で稼いだお金よりも貴い」といった価値観がその背景にあるためだと考えています。

図8　金融全般に関する知識

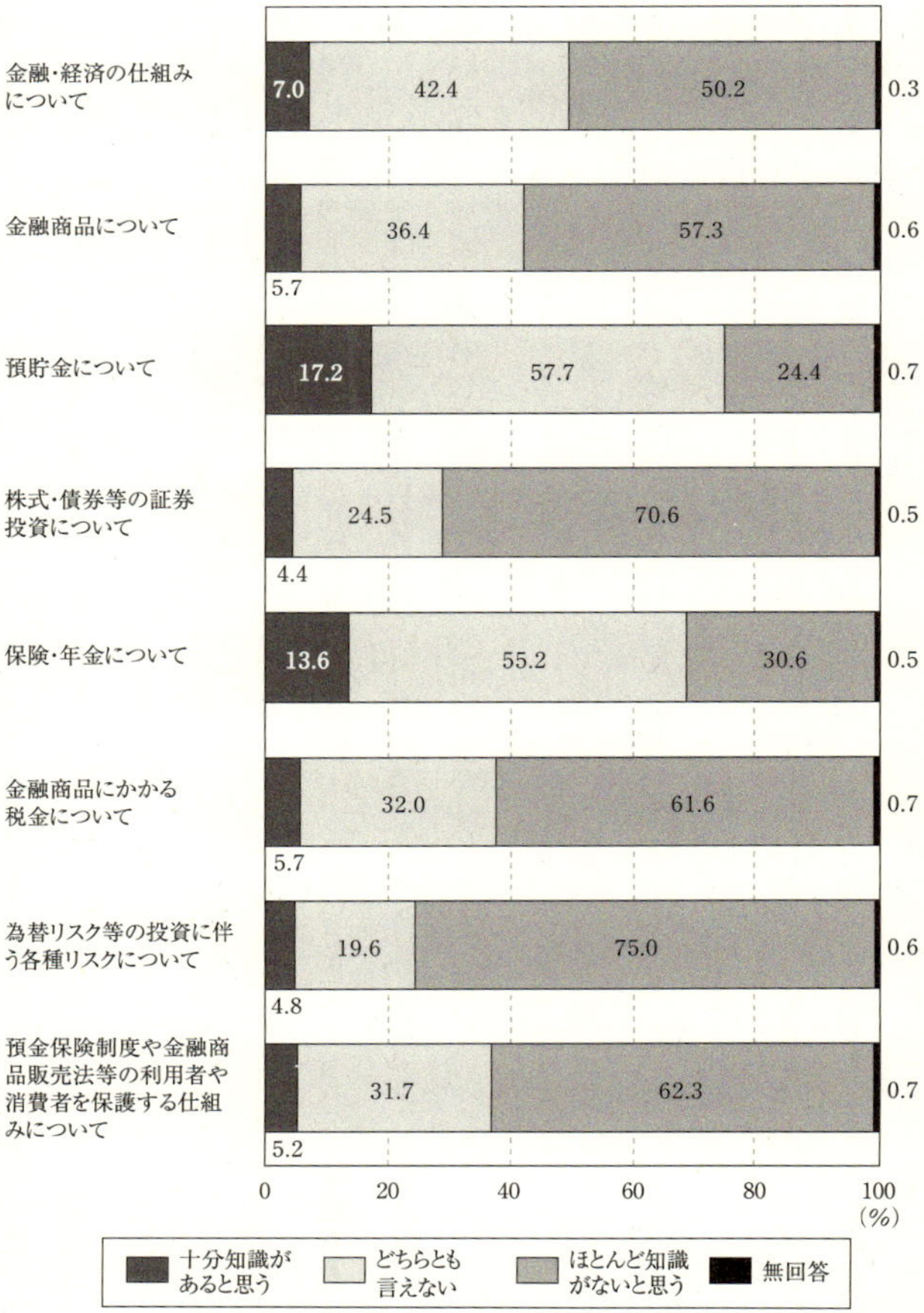

出所：金融広報中央委員会「金融に関する消費者アンケート調査」2003年

例えば、アメリカ人は日常会話の中で、今どのような仕事をしていて、それに対応する年収がどのくらいで、どんな資産を持っているかなどの話がフランクに出てきますが、日本でこのような話を具体的にすることはほとんどないのではないでしょうか。あるいは、そうした話題について話をしている人たちは、帰国子女や外資系勤務の人が多いように感じます。

ここで、私たちが金融知識に対してどのくらい自信がないのかを示す興味深いデータがあります。図8（37ページ）を見てください。これは日本銀行情報サービス局内にある金融広報中央委員会が、全国の20歳以上の男女個人４０００人に、無作為抽出法で留置面接回収方式（調査員が調査対象先に対して直接調査票を持参して依頼し、後日回収する方法）で取ったアンケートの結果です。

これを見て分かるのは、「自分は金融や経済、あるいは金融商品についてほとんど知識がない」と思っている人が過半数にも達するということです。一方、株式・債券などのリスク資産への投資について自信がある人たちは5％足らずにしか過ぎません。

では、なぜ、私たちはこんなにも金融に対して自信がないのでしょうか。その理由は、私たちは金融について、今までほとんど習う機会がなかったという単純なものだと思います。私は大学・大学院でこそ経済・会計や金融に特化した専攻だったためイヤというほど経済や

図９　学校において望む金融教育

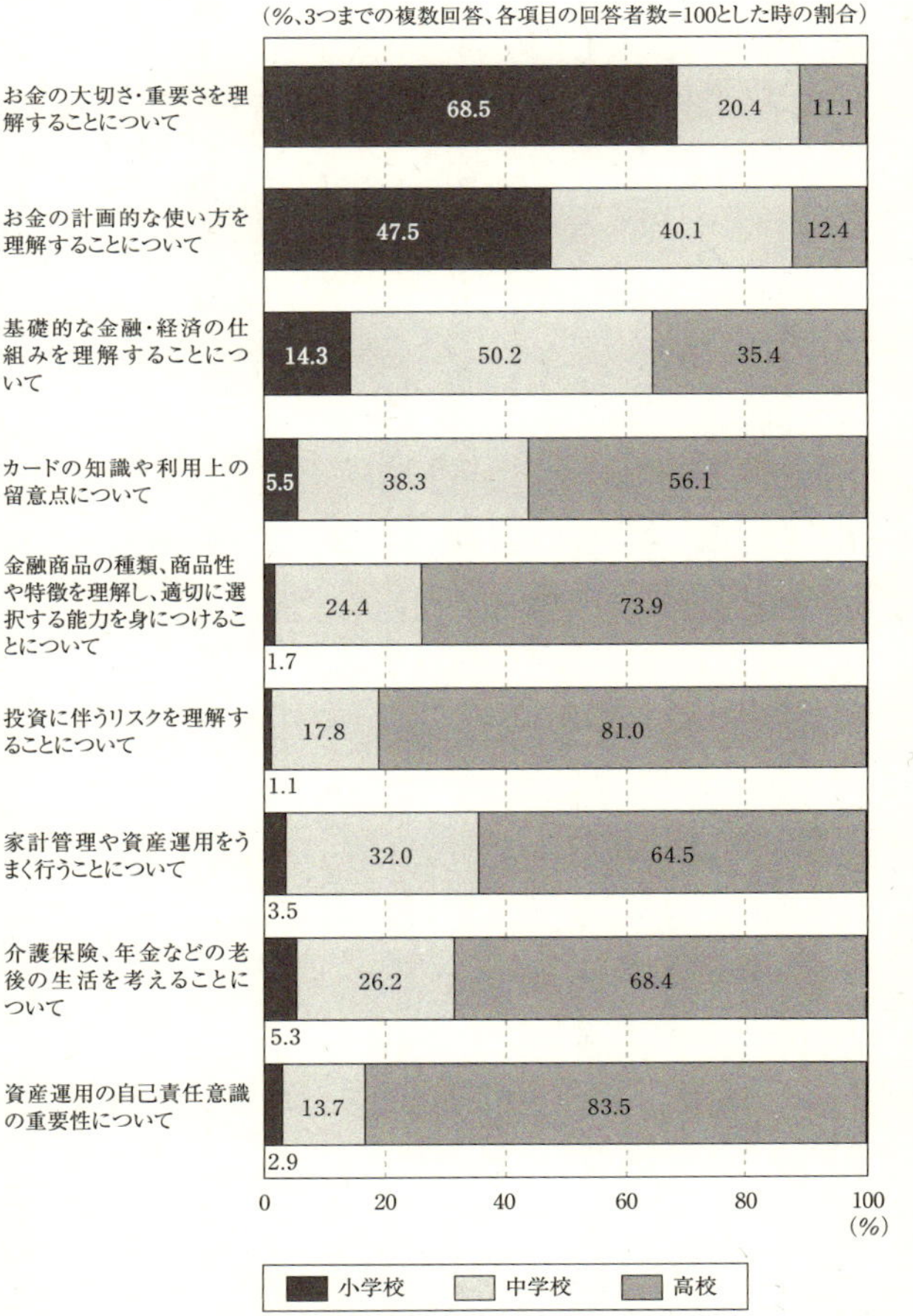

出所：金融広報中央委員会「金融に関する消費者アンケート調査」2003年

金融のことを学びましたが、高校までの学校教育で金融について習った記憶はまったくありません。

私が育った家庭でも、父親が株式を運用しようとしたとき、母が「証券会社にだまされていなければいいけど」などと心配していたことは覚えていますが、両親から金融に関することを習った記憶もまったくありません。したがって、もし大学で金融に関する専攻に進まなかったら、私もリスク資産について知識がないと思う人のうちの一人になっていたでしょう。

また、このアンケートで回答した成人男女は、金融に関する知識は高校生までに学校で学ばせるべきだと思っているようです。図9（39ページ）は、図8と同じアンケート調査ですが、学校における金融教育で、小学校、中学校、高校までに何が必要だと思うかをあげてもらったものです。事実、この図から、多くの成人男女は学校でお金や金融に関する知識を教えてほしいと考えていると解釈できます。

では、現在、日本の教育の現場で金融に対する十分な教育が行われているのでしょうか？答えはNOです。日本の現状については、図10のアンケート結果が分かりやすいと思います。こちらは、金融広報中央委員会と金融庁が行ったアンケートですが、その結果は私が先に述べた実感とまったく同じで、67・6％もの人が「学校で金融教育を受けた記憶がない」と答

図10　学校での金融教育に対する評価

【質問1】あなたは、学校教育の中で金融に関する教育を受けましたか。

（単位:%）

受けた	4.2
受けたと思うがよく覚えていない	28.0
ほとんど受けていないと思う	67.6

資料:金融広報中央委員会「金融に関する消費者アンケート調査」2003年7月

【質問2】（「質問1」で「受けた」または「受けたと思うがよく覚えていない」と答えた方にお聞きします）
学校で受けた金融に関する教育は、あなたにとって役立っていますか。

（単位:%）

役立っている	5.3
少しは役立っている	38.6
ほとんど役立っていない	56.0

資料:金融広報中央委員会「金融に関する消費者アンケート調査」2003年7月

【質問3】金融経済教育の特色ある授業実践例を持っているか。

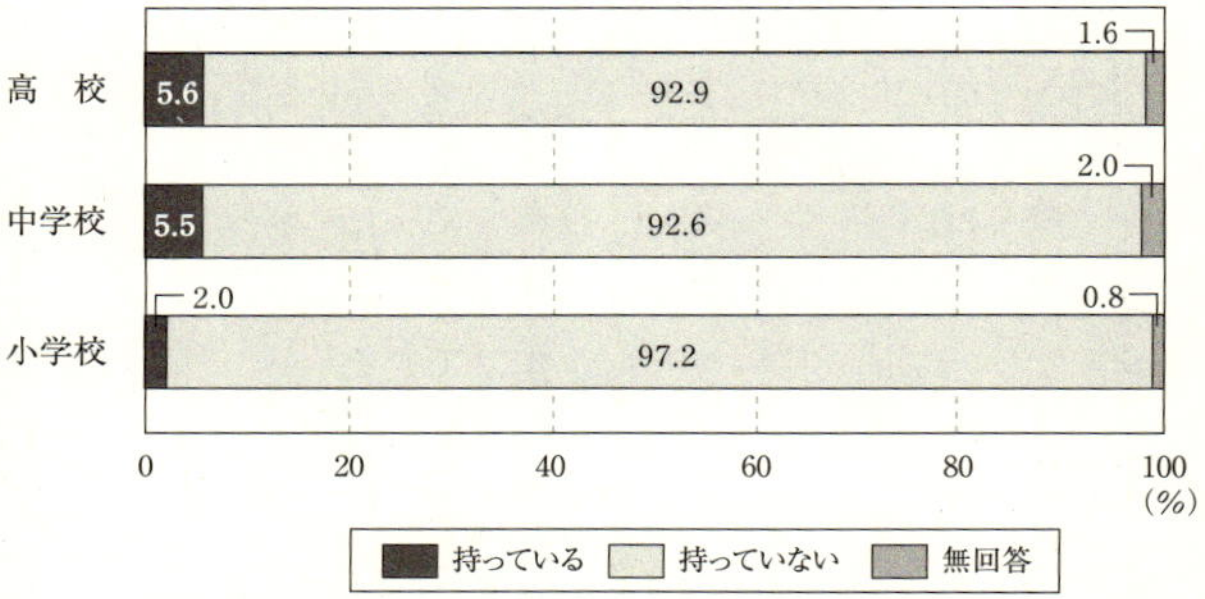

資料:金融庁「初等中等教育段階における金融経済教育に関するアンケート」（2004年8月）

えており、「教育を受けたと思うがその内容をよく覚えていない」と答えた人の割合も28・0％となっています。しかも、「金融教育を受けた」「受けたと思うがよく覚えていない」と答えた人のうち、その教育が実際に役に立っていると思っている人は5・3％しかいないのです。さらに深刻なことは、特色のある金融教育を現在行っている学校は小・中・高校を通して10％にも満たないことです。

一方、金融教育の先進事例として、イギリスを見てみましょう。イギリスでは金融サービス庁という省庁が金融教育を担当しています。同庁は、1999年5月に『消費者教育：金融システムへの理解促進のための指針 (Consumer Education : a Strategy for Promoting Public Understanding of the Financial System)』を公表し、これに基づいて国民への金融教育に関する法的な任務を遂行しています。

これは、各種のリテラシーが国民の間で十分ではないと考えたイギリス政府が、通商産業省、全国消費者協議会などと共同で、国民全体の基礎的能力の向上を推進し始めたことが発端です。このような考え方の中で、金融に関する理解力に関しても閣僚が重要性を訴え、金融サービス庁および教育技術省が中心となってカリキュラムの作成・配布を始めとする教育事業を積極的に推進することになったのです。

例えば、金融サービス庁と教育技術省が共同で開発したものに、全英の小・中・高等学校に配布したガイダンスがあります。その内容は、「お金とは何か」「お金はどこからくるのか」といった基礎的なものから、「個人の人生における選択」「消費者の権利と責任」といった高度な内容に至るまで、年齢に応じたものとなっています。さらに、同カリキュラムには具体的な参考文献なども含まれています。このほかにも、金融サービス庁は副教材やビデオ、貨幣の模型などを全英の学校に配布して教育の現場を支援しています。

では、日本はイギリスに比べ、金融教育はどのくらい遅れているのでしょうか。前述した、イギリス政府が１９９９年に出した指針にあたるような意見書が日本で提出されたのは、２００５年です。これは、日本銀行が平成17年度を「金融教育元年」にしようとしたことが発端です。つまり、日本での意見書の発表はイギリスの6年遅れということになります。しかし、イギリスではすでに実際の現場で教育が始まっているのに対し、日本ではまだ努力指針に過ぎないため、授業などに義務化されているとはいい難い状態です。

$

さて、①については、皆さんも学校時代に金融に関してどんなことを習ったかということを思い出せば実感から理解できると思いますので、次に、もう一つの理由である②を少し考えてみましょう。②は、私たち日本人が社会人になって金融を勉強し、それを実際に運用するところまでに達するには忙し過ぎるということです。

なぜ、忙しいということが問題になるのでしょうか。金融リテラシーの獲得には、ある程度の勉強と、それについて考えることが必要です。そのためには、どちらも時間がかかります。そして、忙し過ぎると、勉強したり考えたりするのが面倒になり、目の前にある仕事のための勉強や理解が優先になります。その結果、どんどん金融に疎くなっていくのです。

私たちは実際どのくらい忙しいのでしょうか。図11を見てください。この図から、労働者が継続的に残業している様子が見て取れます。これにサービス残業の時間を加えると実態はもっと増えるでしょう。さらに長距離通勤も重なり、図12（46ページ）で示すように、男女とも1日あたりの自由時間が他国よりも1～2時間短いことが分かります。

なお、この忙しさ、すなわち長時間労働が、家事・育児時間の短さ、そして少子化につながっているということは前述した通りです。私たちは働き過ぎているから自由時間が少なく、子育ても、金融を勉強する暇もなく、金融の勉強をしないからますます働かなければならない、という悪循環に陥っているのです。この悪循環を絶つためには、金融を勉強する時間を「作る」しかありません。

図11　長時間労働者比率比較

長時間労働者比率（2000年）

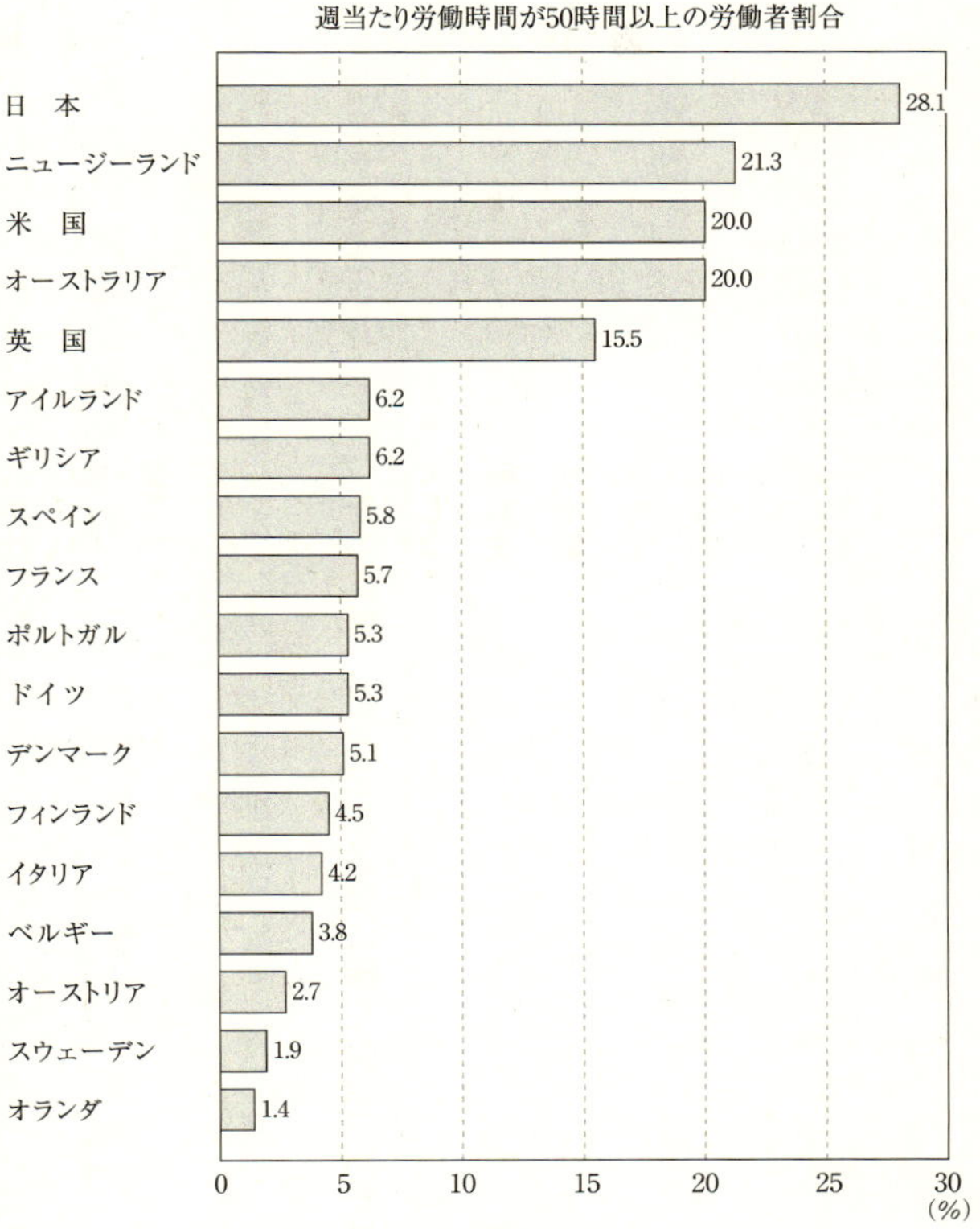

（注）　米国データは1998年。米国と日本は49時間以上働いた比率。
原資料は ILO,"Working Time and Workers' Preferences in Industrialized Countries: Finding the Balance"（2004）

資料:内閣府「平成18年版国民生活白書」

図12　生活時間配分の各国比較(2001年、総平均時間、週全体)

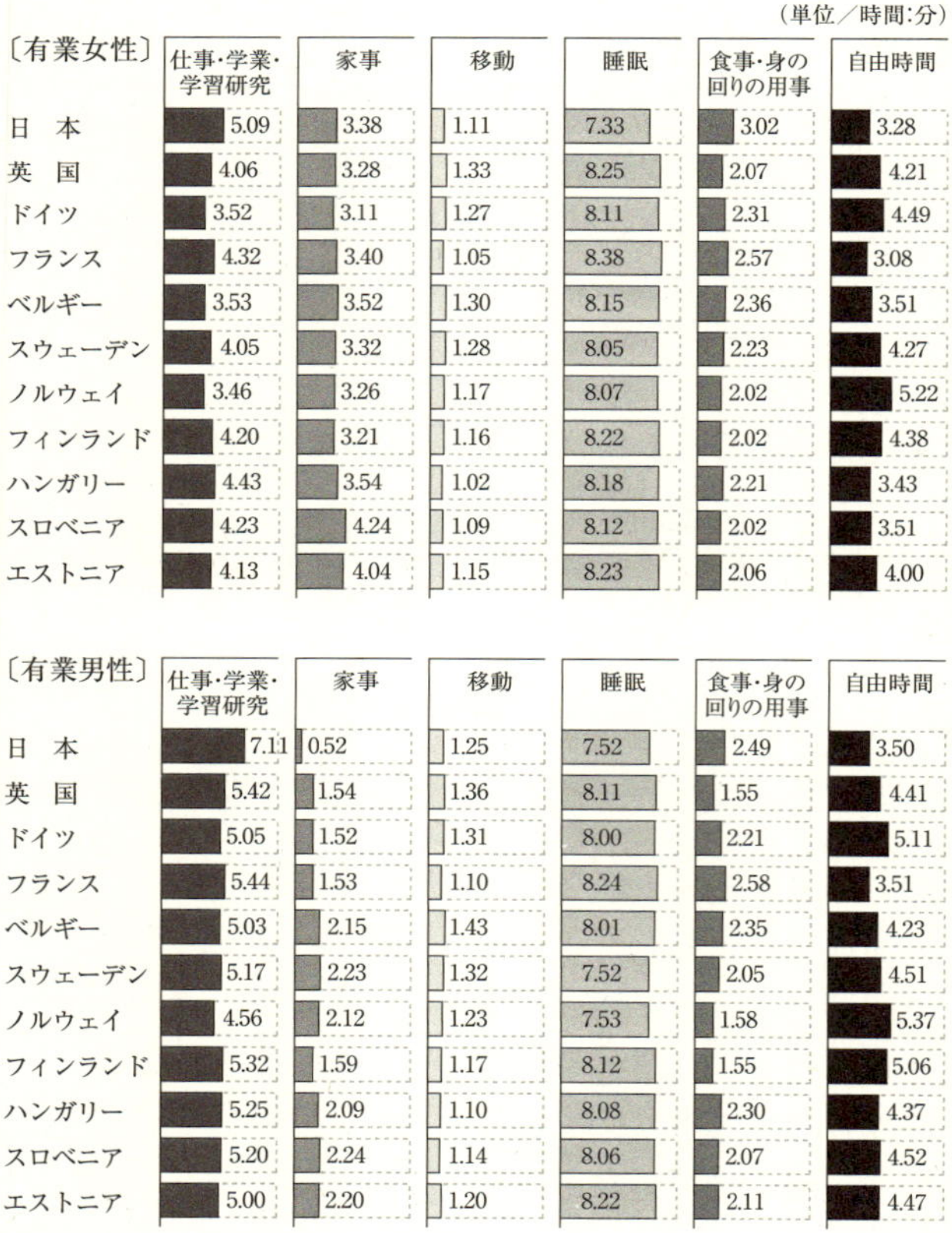

(注)　四捨五入の関係で各項目の合計が必ずしも丁度24時間とならない。日本は総務省統計局「2001年社会生活基本調査」の特別集計結果によるEU比較用組み替え数値。他の国は1998〜2002年EU調査(Eurostat(2004),“How Europeans spend their time-Every life of women and men”)の数字。

資料:内閣府「平成18年版国民生活白書」

とはいえ、社会人がいざ金融を勉強しようと思って本を探すと、それは極端に難しい専門書か、あるいは、お金儲けに力点を置いた「こうすれば簡単に儲かる」といったものが多く、内容を分かりやすくきちんとまとめていて、短時間で読めるものが少ないのが現状です。

本書は、専門家だけが分かるような極端に難しいものでもなく、また、「簡単に儲かる」ということを吹聴《ふいちょう》するわけでもなく、忙しい社会人が正しい知識を短時間で習得できるような内容を意識して作っています。そして、社会人として必要な金融リテラシーについては、第２章以降で具体的な事例を用いながら説明していきます。

金融リテラシーの基本原則

さて、個別の話に入る前に、金融リテラシーについて誤解しないでもらいたいことがあります。それは、金融リテラシーを身につけることと「ラクしてお金を儲ける」ことは違うということです。逆に、金融リテラシーが身につけばつくほど、世の中に「ラクなお金儲けの方法」などはない、ということがよく分かるようになると思います。

金融で儲けるためには、労働で儲けるのと同じくらい、あるいはそれ以上の勉強と努力が必要だということは理解しておいてください。もちろん、そこまでの勉強と努力をする時間がない人は、プロが提供する商品の中で、自分に合ったものとそうでないものを見分け、しっかりとした人に自分のお金の運用を託すところまでをゴールにすればいいのです。

また、金融リテラシーを得るための一つの基本原則を覚えておいてください。それは「金融はリスクに応じてリターンが生じる」ということです。大きなリスクには、それに見合った大きなリターンが生まれないと誰も投資をしないため、それなりのリターンが生まれるような商品になります。

ここで「リスク」という言葉に目を向けてみます。私は、日本でリスクの概念を説明するのが難しいと常々感じています。その理由は、多くの人がリスク（risk）と危険（danger）を一緒にして考えているためです。リスクというのは、あくまで計量可能で、コントロール可能なものを指します。逆に、自分自身で計量できなかったり、コントロールできないリスクを取ってしまうことはリスクとはいえず、単なる危険（ギャンブルなど）を指します。

株式投資を例にあげましょう。株式投資は主にファンダメンタルズ分析とチャート分析によって行われます。ファンダメンタルズ分析とは、企業の業績や株価などを用いた投資指標によって株価が割高か割安かを分析すること、チャート分析とは、チャートパターンやテクニカルチャートを利用することで株価動向を分析することです。

では、ファンダメンタルズ分析による投資と、チャート分析による投資では、どちらが「投資」（リスク）でどちらが「賭け」（危険）といえるでしょうか。

ファンダメンタルズ分析、すなわち特に会計利益と株価の関係――会計利益が市場の期待よりも大きくなる会社は株価が上がる――については、Ball and Brown（１９６８年）など、日米を始めとする各国から学術的な証拠が疑いのないレベルで出ています。

一方、チャート分析、すなわちそのパターンを使っていけば株式のリターンが有意に得られるということについての統計的な証明は、私が知っている限り、学術レベルでは目立った業績はありません。また、先に引用した「日経マネー」の個人投資家アンケートでも、チャート分析に頼る人に比べて、ファンダメンタルズ分析を行っている人の方が統計上、有意によいリターンが出ていました。

したがって、会計利益の将来期待の大きさの割に株価が安い会社に投資をすることは、統計的には勝つ可能性が高い「投資」（リスク）になりますが、チャート分析を使って株式投資をすることは単なる「賭け」（危険）になります。

このように、金融リテラシーを身につけると「投資」（リスク）と「賭け」（危険）を分類できるようになります。逆に、正しい知識もないままリスク資産にやみくもに投資することは、文字通り「危険」を増やすだけとなります。

また、リスクにもさまざまな種類があります。例えば、お金を貸しても貸し倒れるリスクがない商品をリスクフリーと呼びます。この商品（国債がそのいい例です）は、通常、政府に対する貸付金利がそのままその基準になります。そして、リスクがないことによって、わずかなリターンでも多くの人が投資をするためにリターンは低くなります。

つまり、消費者金融の利率と国債の利率の差は、リスクの差なのです。消費者金融会社は、信用状況の良くない人に貸し倒れのリスクを負いながら貸し出すので金利が18％になりますが、国債は、日本政府が潰れない限りは返してくれるという前提のリスクになりますから、金利が0・5～1・8％にしかならないのです。

これと同じように、株価のリターンが預金よりもいいのは、株によっては10倍の値段になる株もあれば、値段が著しく下がる株もあるからで、リスクが高いためです。そして、このようなリスクをすべて平均すると、だいたい年率5％くらいのリターンになるのです。

それでは、投資家にとって、金融とギャンブルを分ける鍵は何でしょうか？

それは、金融はリスクの計量ができるのに、ギャンブルはできない、ということです。逆に、同じ金融であったとしても、投資家がリスクを計量しないままに投資をするのはギャンブルであって、金融ではありません。

リスクというものがどのようなものか、そしてリスクとリターンの関係がだんだんと理解できてきましたでしょうか。

自分の資産がどんどん減る

さて、ここでいったん、リスクの歴史的過程に触れましょう。

中世から近代において、多くのリスクは計量が不可能であり、それと同時に大きな賭けでもありました。例えば、天候の変化から疫病や遺伝子疾患、ギャンブルのオッズまで、それは「神の思《おぼ》し召し」であり、予測することは不可能だと考えられていました。

ところが、１６００年代にパスカル、フェルマ、グラントなどにより、確率と統計の概念が開発されました。統計という概念が出てきて初めて、人類は少数のサンプルから母集団を推定したり、また、将来起こりうることについての確率を推測したりするようになります。

そして、人間にとっての最大リスクである人間の死因を分析していくことで、病気の予防や健康管理などのリスクマネジメントに統計を使っていくようになりました。このころから保険が開発され、資金を集めることでさらに大規模な開発が可能になっていったのです。

さらに1700年代に入ると、ベルヌーイが、リスクに対する効用は人ごとに異なり、どんなに合理的な人間でも、場合によっては確率や期待値から考えると非合理的な行動を示すようになるということを証明しました。

これらの研究は、ラプラス、ガウスなどに引き継がれていきますが、つまり、昔は偶然に見えていた多くの現象が、正しいデータを収集して適切な推論を働かせれば、それは偶然ではなく必然であるということが徐々に証明されるようになってきたのです。

リスクが計量できるようになったことで、金融が大きく発展します。そして、大規模な投資が可能になり、その投資で得た資金により、一部の国による海外への領土拡大や産業革命へとつながり、現代の資本主義を作り上げていきました。そして、そのリスクの計量をうまく行い、リスク・リターンのバランスから自分の資産をリターンが得られやすいところに上手に配分した人ほど豊かになる、というしくみが生まれていったのです。このようなリスク計量の発展についてより詳しく知りたい方は、ピーター・バーンスタインの『リスク　神々への反逆（上・下）』（日経ビジネス人文庫、2001年）を読んでみてください。

リスクが計量可能であり、かつ、リスクに応じてリターンが生じる資本主義という社会になったということは、もし金融に関するリスクを計量することもなく、同時にそれを活用することもない人がいた場合、一部の人たちが〝現代〟の知識を使って生きているのに、そうした人たちは〝近代〟の知識を使って生きていることを示すことにほかなりません。

分かりやすい例をあげましょう。自分の資産を丸ごと銀行の普通預金に入れているAさんと、リスクを取りながら資産を運用しているBさんがいたとしましょう。このときAさんは、その銀行が倒産しない限りは、普通預金には元本の保証があるため資産の目減りは防げるでしょう。しかし、Bさんは自分の資産を一定の確率でどんどん増やしていくのです。つまり、Aさんの資産の価値は相対的には下がっていくのです。

この理由は、「現在価値」と呼ばれる概念から説明することができます。これは、今ある100万円と5年後の100万円とでは、今の100万円の方がずっと価値が高いと考える概念です。なぜなら、例えばその100万円を株に投資した場合、5年後には70万円に減っているかもしれないし、200万円に増えているかもしれないのですが、統計的には増えている可能性の方がはるかに高いからです。

金融リテラシーが身についていない消費者にとっては、元本保証のない資産に投資をするのはリスクが高いから嫌だという発想が根強いかもしれません。しかし、計量できるリスクはギャンブルではなく、単なる投資です。また、確率的に考えれば、一つの資産にだけ自分のすべての資産を投資すると、その資産が不幸にもたまたま下がることは確かにあります。しかし、そのリスク資産を複数に分散投資すれば、すべての資産が一度に値下がりをすることを小さくすることも可能になるのです。

お金をコントロールする

第1章では、ワークライフバランスを上手に取るためには、これまでのように労働に頼って得る収入だけではなく、しっかりとお金にも働いてもらい、リスクとリターンをうまくコントロールしながら収入を得る重要性を説明してきました。そして、日本人は決してリスク回避的ではなく、金融に対する興味もあるけれども、学校教育では残念ながらあまり多くのことを教えてくれなかったし、また、社会人になっても忙し過ぎて金融についてなかなか学ぶ機会がなかったということを説明してきました。

しかし、資本主義の中で、自分がお金に対するコントロール権を持たないということは、社会に対して独立した力を持てないことになります。私たちは投票をすることで政治に影響を与えていきますが、それと同様に、投資をすることで自分たちの住みやすい社会を作っていくことが可能になるのです。

さらに、金融について興味があっても知識を得ないままでいると、せっかくのお金が銀行や郵便局で寝てしまいます。その結果、その使い道は自分でも思わぬところ――例えば土地の不良債権や儲からない第三セクター、あるいは日本国債――などにいってしまい、資金が非効率的に使われるばかりか、場合によっては回収が不可能になってしまうのです。

したがって、私たちがどんなに一所懸命労働をして、その結果として得たお金を貯めたとしても、そのお金が自分たちの幸せとはまったく無縁のところで使われてしまうのでは意味がありません。また、これまでは、住宅ローンや生命保険に投資すると、それなりにリターンがいいということで対処することができましたが、土地の値上がりが小さくなってきた現在、住宅ローンと生命保険に頼っているだけでは資産形成が難しくなってきてしまいました。

これからの時代は、何が起こるか分からない世の中です。自分の勤務先がいつ倒産するのかも分かりませんし、倒産しないまでも、自分の会社の属している業種が何かの理由――例えば材料高や労務費の高騰、あるいは政府の規制やグローバル化――などにより、いつ、不況になるのかも分かりません。そう考えれば考えるほど、ある一つの勤め先の給与所得に自分の人生を頼ることは、とても危険なことなのです。だからこそ、能動的に自分たちの資産を形成し、キャピタルゲインを得て、最低でも半年、できれば２～３年間は無収入でも家族が今まで通りの生活をできるくらいの資産を蓄える必要があるでしょう。

幸いなことに、今はインターネットが発達しているので、金融に関する情報入手の手段にはまったく事欠きません。あとは、新入社員が少しずつ仕事を覚えていき、5年から10年、15年、20年とかけて職場の仕事に熟達していくように、私たちも少しずつでもいいから、毎年、毎年、金融リテラシーを身につけていけばいいのです。

$

金融は非常に公正な市場で、勉強すれば勉強した人にリターンが必ず返るしくみになっています。そこには嫌な上司もいませんし、妙な社内政治もありません。アマもプロも、同じ立場で勝負ができます。だからこそ、実力主義の厳しい市場ではありますが、金融の知識をうまく味方につけ、その知識を応用していくことで自分の資産を上手に運用することが可能になります。また、この金融に関する知識は、自分の資産運用だけに限らず、会社の業務においても財務や資金回収、あるいは値づけを考える際に必ず役に立つはずです。

第2章から、具体的な商品を使いながら金融リテラシーを身につけるために必要な考え方を順番に説明していきます。

第２章　金融商品別の視点

分散投資（アセット・アロケーション）を理解する

金融リテラシーを身につけるための第一歩として、まずは分散投資（アセット・アロケーション）の概念を理解する必要があります。

アセット（asset）は資産のこと、アロケーション（allocation）は配分のことですから、アセット・アロケーションとは、自分の資産の配分を決めることになります。資産のリターンは、アセット・アロケーションでおおむね80％程度が決まります。よく「投資をするにはどの株を買えばいいのですか」「外国債券ならどの国の何を買えばいいのですか」と聞かれます。しかし、私たちにとってより大事なことは、迷う前に、株式や債券などのリスク資産の購入を決意することと、各資産をどのくらいの割合で持つかという判断になります。

ここで思い出してもらいたいのが、第1章の図1（20ページ）でも示した日本人全体の資産配分です。

日本の家計は他国に比べ、現金・預金の保有率が半分以上と極端に高く、次いで年金・保険の順、そして債券や株式への投資が少ないことは説明した通りです。しかし、この資産を中長期的に維持するとした場合、定期預金のリターンはインフレ率の3・3％とほとんど変わりませんが、債券や株式のリターンは、おおむね6～8％と、インフレ率を大きく上回る

図13　主要アセットごとのリターン特性

1970年1月から2005年12月

	幾何平均	算術平均	標準偏差	ヒストグラム
国内株式	7.9%	9.6%	19.5%	
外国株式	7.5%	9.1%	18.6%	
国内債券	6.6%	6.6%	3.8%	
外国債券	3.6%	4.1%	10.7%	
定期預金	3.8%	3.8%	0.8%	
インフレーション	3.3%	3.3%	2.5%	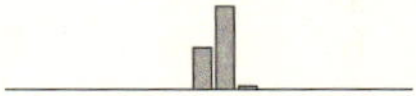

出所：「株式と債券のリスクとリターンおよびアセット・アロケーションの基本」山口勝業、2006

のです（図13）。

つまり、同じ資産を現金・預金として保持しているか、株式や債券に投資しているかで、私たちの資産のリターンは大きく変わってしまうのです。例えば、年率３％で20年運用した場合、20年後の資産額は元本の１・８倍の額にしかなりませんが、７％で20年運用すると、資産額は最終的に元本の３・９倍もの額になります。

したがって、運用資産の中で大きな現金・預金を持つことは、金融理論からいいますと大きな機会損失（利益を得られると分かっていながら行動を起こさない、もしくは行動することをためらった結果により得られなかった損失のこと）を生んでいることになるのです。

普段、私たちはモノを買うとき――食料品、日用品、服など何でもいいのですが――何が安いのか、どうしたらお買い得なものを手に入れられるのか、数百円から数千円単位で細かく見ています。しかし、こと資産運用に限っては、機会損失に対して特に気にすることもなく、とても無頓着であるといえるのではないでしょうか。

先ほど述べた利率で具体的な数字をあげながら考えてみましょう。今、35歳の人が500万円の資産を持っていると仮定した場合、3%の利率で運用したとしたら20年後は903万円にしかなりませんが、7%で運用すると20年後には1934万円にもなるのです。つまり、リスクを取らない人と、リスクを取って資産運用している人とでは、20年後には1000万円以上の差が開いてしまう可能性もあることが統計上から分かります。

しかも、最近の預金の利率は過去25年間の平均値である3・8%どころか、1%にも満たないものが多いため、実際の機会損失はもっと広がっているでしょう。

株式や債券を買うと値段が下がり、お金を失うリスクがあるから嫌だと考える人が多いと思いますが、前述した例からも分かるように、理論上は、株式や債券を買わないことで、得られるべきお金をより失っており、その目に見えない機会損失の方が実はずっと大きなリスクなのです。

預金がいかにリスクを伴うものであるか、理解することができましたでしょうか。

ここまで簡単にアセット・アロケーションの必要性を見てきましたが、これを理解できれば金融リテラシーの第一歩はクリアしたことになります。

見かけ上のリスクと本当のリスク

とはいえ、それでも私たちが債券や株式への投資を嫌がるのは、損をする年も、儲かる年もあり、少しでも損をするのが嫌だという気持ちがあるためです。

図14（62ページ）を見てください。この曲線はプロスペクト理論と呼ばれるもので、一般的な人の価値の関数を示したものです。この理論はカーネマンとトゥベルスキーという経済学者によって提唱され、この貢献によってカーネマンは２００２年にノーベル経済学賞を受賞しました。この理論は、「多くの人は、通常、利益が上がることによる効用の増加よりも、同額だけ損失を受けたことによる効用の減少の方が大きい」ということを実証的に表したものです。

例えば、５００万円の資産を持っている人がいたとします。そして、この資産を債券・株式な

図14　損失回避型の価値関数

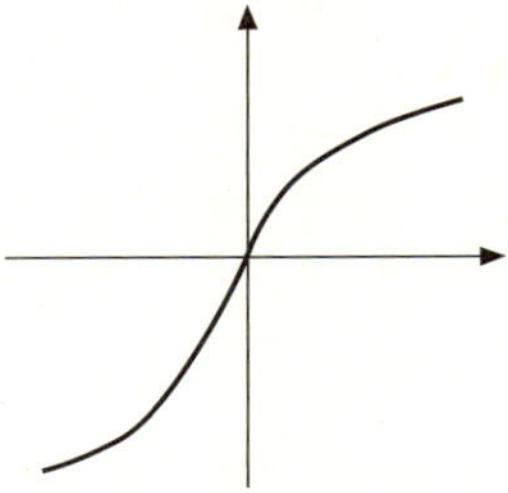

Kahneman and Tversky による有名な「損失回避」型の「価値関数」は人々の間のこうした傾向を捉えたものである。

Kahneman and Tversky（1979）

ど、リスクのある資産で運用した場合、1年間で50万円儲かったときと、1年間で50万円損したときとでは、50万円儲かったときに得られる喜びよりも、50万円を損したときに受ける悲しみの方が大きくなるということです。

つまり、多くの人は、初めから1％しか利率がないと分かっていても、マイナスになる可能性のない銀行などの定期預金を好むというわけです。

これは金融商品を運用するときの人間の特徴です。つまり、私たちは金融のリテラシーを身につけていないと、知らず知らずのうちにリスク回避型となってしまい、結果として損をしてしまうことを示しています。

一方、資金を調達する側の国や企業から見れば、資金を預ける側の私たちの家計が損失を回避するあまり、高い利率を求めないことは都合のいいことであり、これまで低い利率のお金を十分に調達してきました。

そしてその結果、何が起こったのでしょうか。そうです、国の過剰な借金と、日本の企業の低いＲＯＩ（投資利益率）です。私たちが高いリターンを求めないのですから、お金は金利の安い銀行や郵便局に預けられます。こういった安い金利の資金は、企業や国に貸し出され、効率的でない過剰な投資を生むことにつながります。そして最終的にはバブルの崩壊や長引く低金利時代を招き、私たちが大きな損を被る形になりました。

つまり、日本の金融資産運用は、一人一人が好ましいと思ってリスクを回避する方向で動いてきた結果、国全体としては過度なリスク投資を生むことになり、それが逆に私たちの生活自体にシワ寄せを招いた形になったといえるでしょう。

したがって、私たちが金融リテラシーを高めることで自分たちの資産に適切なリターンを求めることは、結果としてリスクを回避することにつながるのです。

「ためらい」が儲けの源泉

ここでもう一度話を整理しましょう。預金と違って、株式や債券は価格が下がる年もあれば上がる年もあります。そして、多くの人は、損失による痛みを、同額の利益による喜びよりも強く感じる傾向があるため、たとえ中長期的なリターンが預金よりよくても、株式や債券に投資をすることを躊躇《ちゅうちょ》します。

しかし、まさしくこの「躊躇」こそが、儲けの源泉となるのです。

なぜなら、利益や損失のブレが生じることに対して嫌がる人が多く、こういうブレが生じるような資産（図13で株式のリターンが預金や債券よりも大きいのは、年によって運用利回りがブレるためです）については、より高い運用利回りを得られないと誰も投資しなくなります。それを避けるために「リスクプレミアム」（第1章「ワークライフバランスのために」の項参照）と呼ばれる〝おまけ〟がつくのです。

逆にいうと、このしくみ、すなわち、多少変動があっても中期的には勝てるのだ、その変動に我慢できればリスクプレミアムという〝おまけ〟がつくのだということを理解できると、債券や株式を買うのは怖くなくなります。それでも損をするのが怖い人は、買ったあとに相場をあまり見なければいいのです。株式を例にあげますと、株は毎日数％変動するのが通常なので、その結果に一喜一憂するよりは、十分に分散投資をして株式を買ったあと、市価をあまり見ないようにするということもテクニックとしては有効です。

また、預金は手数料がかからないけれども、債券や株式は買うときに手数料がかかるので嫌だという人もいるでしょう。確かに、例えば株式を買えばだいたい０・５〜１・０％くらいの売買手数料がかかります。投資信託の場合はだいたい１～３％、もっと高い手数料がかかるケースもあります。しかし、預金にも隠れた手数料があることを知っているでしょうか。

預金は、元本保証のある確定利回りの金融商品ですが、では、銀行は預金でどうやって儲けているのでしょうか。簡単な方法としては、預かったお金を企業や住宅ローンなどの貸し出しに用いてサヤを抜くこともありますが、もっと単純には、預かったお金をインターバンクといわれる銀行だけが参加できる銀行間市場の取引に預けるだけで利益を得ることができるのです。

これは何を意味するのかというと、銀行の普通預金にお金を預けていれば、私たちがもしインターバンクに直接アクセスできれば得られるであろう金利よりも利率がより小さくなることを指します。このサヤがあることによって、銀行預金には手数料はかからないしくみになっています。

一方、債券や株式でも、購入時に手数料はかかりますが、その後、売買するときには一般の投資家でも市場で直接取引できます。したがって、最初の購入時以外でサヤを抜かれる心配はいりません。

しかし、いずれにしてもお金を銀行や証券会社に払っていることに変わりありません。

英語では、これを「There is no such thing as a free lunch.」(タダ飯なんてものはない)といいますが、このフレーズは金融に携わっている人の間でもよく使われます。直訳すれば「タダの昼ご飯のようなものは存在しない」という意味です。

話を元に戻しますが、私たちは本来得られるべきリスクプレミアムを放棄することで、銀行側は利率を低くできるという利点を得ています。その上、私たちは毎日のように、銀行側が提示する金利と銀行同士によるインターバンクの市場金利の差額についても失っています。つまり、当面必要のないお金を普通預金や定期預金に寝かせておけばおくほど銀行側が儲かるだけで、私たちは損をしていることになるのです。

だからといって、銀行に預けているお金を今すぐ引き上げ、債券や株式に投資すればよいというわけではありません。債券や株式については、先に触れた価格の上下以外に注意すべき点をあげます。それは「流動性」(市場に流通している株式の数とそれを買えるだけの資本の量)です。

つまり、市場であまり流通していない債券や株式を買ってしまうと、売りたいときに売れない、買いたいときに買えないという事態が生じます。一般に、市場で売りたいと思っている人の価格をオファー価格、買いたいと思っている人の価格をビット価格といいますが、流動性が低い金融商品は、このオファー価格とビット価格が離れていることが多いのです。そのため、買うときは割高で買い、売るときに割安で売る、ということも生じます。

また、後に詳しく説明しますが、債券や株式を自分で選ぶのが難しい人のために、プロが金融商品を選んでパッケージとして売り出す投資信託があります。このような投資信託も購入時と購入期間中に手数料がかかるしくみになっています。「この投資信託の手数料は割高でないか」とよくいわれることがありますが、人を雇って売買してもらうわけですから手数料がかかるのはしかたのないことなのです。これも「There is no such thing as a free lunch.」です。

とはいえ、平均で見た場合でも、定期預金よりも株や債券を購入した方がリスクプレミアムの分だけ儲かるわけですから、その儲けの中から一部を手数料として払ったとしても、手元に残るお金は預金よりも多くなります。したがって、目先の手数料にとらわれず、これくらい儲かるのだからこれくらいまでなら手数料を払っていい、というように頭を切り換えてみてください。

金融商品選びで大事なことは、自分がどういうリスクを取ることで、どれくらいのリターンが期待できるのかを、両にらみすることなのです。

金融商品別の視点

リスクとリターンの関係について再認識したところで、これから個別の金融商品について具体的に説明していきます。

【定期預金と国債】……円建ての金利商品を比較する

まずは簡単な金融商品として、国内の円建ての定期預金や国債を考えてみましょう。どちらの商品も為替リスクはなく、預けている間は一定の金利がつき、満期が来ると元本が返還されます。さて、これから5年間、使うアテのないお金があったとします。このお金は、銀行に預けるのと国債で運用するのとでは、どちらが有利なのでしょうか。

まず、銀行の5年定期に預けた場合を考えてみましょう。日本で最も大きな銀行である三菱東京UFJ銀行を例にあげますと、2007年10月現在の金利で、300万円未満で0・6%、300万円以上で0・65%の金利です。

一方、同じ5年間の国債は、2007年10月の新発債の利回りは直近で1・256%です。この二つの金利は実に0・656%も違います。例えば、100万円を0・6%の定期に預ると、5年後は半年複利（半年ごとに金利がアップする段階利率のこと）として103・0万円ちょっとにしかなりませんが、国債で運用すると106・4万円になります。ここでは100万以上の数字を見てほしいのですが、倍以上、利息が変わることが分かります。

ここで、金融の理論からいうと不思議なことがあります。それは、日本政府と三菱東京UFJ銀行を比べた場合、信用リスク、すなわち預けたお金が返ってこないリスクは、さすがに日本政府より私企業である三菱東京UFJ銀行の方が高いはずだと考えるでしょう。それにもかかわらず、国債の方が利息が高く、銀行の方が利息が低いのはなぜでしょうか。

それは、先に銀行預金の「隠れた手数料」のところでも触れましたが、それと同じ原理です。銀行は、みなさんから預かったお金でそのまま国債を買うことに回すだけで0・656%のサヤを抜くことができます。実際にはこの他の方法もありますが、銀行はサヤを抜こうと思えばいくらでも抜けるのです。このような方法を用いることで、利息を低く抑えることが可能になるのです。

しかし実際には、個人向けの商品に限っていえば、銀行は主に定期預金と住宅ローンで儲けていて、手間暇のかかる普通預金や決済サービスではさほど儲かっていないのが現状です。極端にいうと、給与口座といった普通預金の出し入れや決済サービスは、私たちがその後に定期預金や住宅ローンを組んでくれることを期待し、サービスで行っているといっても過言ではありません。

私たちは、もし同じリスクを取るのであれば、リスクがより低く、リターンがより高い商品を選んでいくことで機会損失を免れることができます。したがって、金利に関する金融リテラシーとしては、金利に対しては絶対値としての水準（例えば先に触れた銀行の定期預金の0・6％）で考えるのではなく、国債利回りと比べた相対値で、割高か、割安かを判断すればいいのです。

また、金利については「期間構造」と呼ばれるしくみがあります。これは、預け入れる期間が長くなるほど金利が高くなる構造のことです。この様子をまとめたものを金利のイールドカーブと呼びますが、図15に示すように、国債と定期預金の利回りは年数が長くなれば長くなるほど開いていきます。

したがって、もし中途解約を考えていない資金があり、為替リスクも元本リスクも取りたくないのであれば、定期預金ではなく国債の方が利回りが高いことになります。

ただ、ここで注意したいのが、国債は定期預金とは異なり、途中で解約すると元本割れのリスクがあることです。これは、買ったときに比べて金利が上がった場合、その国債の価格

図15　国債と定期預金の金利（2007年6月現在）

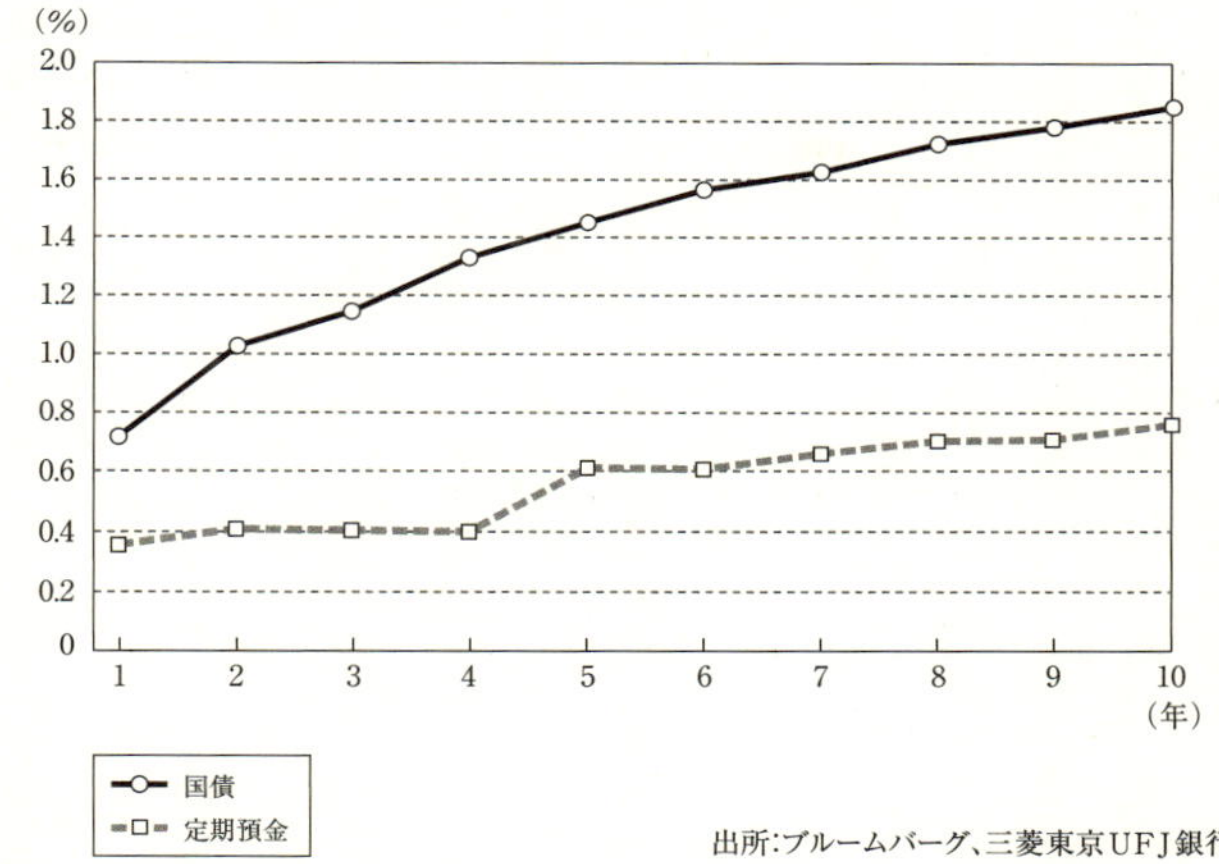

出所：ブルームバーグ、三菱東京UFJ銀行

が額面よりも安く流通されるためです。

そして、金利の上げ下げについては「将来は予測できない」と考えることが正解です。なぜなら、さまざまなマクロ分析をしながら日本銀行の動向に気を配る、「日銀ウォッチャー」と呼ばれるエコノミストたちですら、その金利がいつ上がるのか、いつ下がるのかは予測できないのに、ましてやそうした情報を持っていない私たち一般投資家の立場で予測できるわけがないからです。

そうしますと、途中で解約する可能性の低いようなお金については、定期預金ではなく、国債で運用した方がリターンが高くなります。そして、図15の金利のイメージを頭に入れておく必要があります。

$

このように、円建てで金利がつく、というとても基本的な金融商品ですら、私たちは普通、定期預金の方が国債よりも利率が低いことを意外と知らないでいます。それは、国債に対する理解の不足が原因ですが、その理由は、証券会社も国債の手数料はあまり高くないので積極的に売ることはしていませんし、銀行も定期預金に誘導した方が儲かる（サヤが抜ける）ので、商品の品揃えとしては国債を扱っていますが、店頭にパンフレットなどを置かず、積極的に勧めてはいないからです。

しかし「円の金利の標準は国債の金利で決まる」「金利は通常、期間が長くなるほど高くなる」「信用リスクがあるところの金利は、国債の金利よりも高い」という三つの基本的なポイントを押さえておけば、なにか特別な理由がない限り、不利な定期預金にお金を預けることは少なくなると思います。

実際に個人が国債を買うには、郵便局、証券会社、銀行などが窓口になりますが、国債の方が定期預金よりも有利な運用ができるということは、ある程度は知られているようです。なぜなら、郵便局では売り出しの日の午前中にすべて売り切れてしまうような人気商品になっていますから。もっとも、新発債といわれる、発行されたばかりの国債だけではなく、すでに発行済みの流通している国債であっても、証券会社を通じて購入することは可能です。まずは、自分の目で、銀行の金利と、国債の金利が違うことを確かめてみてください。こういった訓練の積み重ねが、金融リテラシーを上げる要素になります。

本項の最後に、国債に基づいた金利の一覧表が見られるサイトを紹介しましょう。金利のイールドカーブについては、次のサイトでブルームバーグが毎日公表しています。

http://www.bloomberg.co.jp/markets/rates.html

定期預金の金利については、各銀行のホームページが便利です。本項で取り上げた三菱東京ＵＦＪ銀行では次のページになります。

http://www.bk.mufg.jp/cdocs/list_j/kinri/yokin_kinri.htm

個人向け国債の購入については、発売元である財務省が丁寧なページを作っていますので、そちらも参照してみてください。

『個人向け国債』のご案内
http://www.mof.go.jp/jouhou/kokusai/kojinmuke/index.html

【株　式】……プロが得して個人が損する

次に株の話に移ります。これまで「株や債券への投資を考えましょう」という話を進めながら水を差すようで恐縮なのですが、金利商品以上に複雑な株式の市場では、個人が銘柄を自ら選んで投資をしようとすると、プロが得をして個人が損をするしくみになっているということを、私はプロの側から痛感してきました。

実際、株式では、個人は高い確率で損をします。図16を見てください。これは、主に個人投資家が利用する、信用取引という株を貸し借りしながら取引する市場において、全体でどれくらいの損益率が出ているかを示すチャートです。この図を見れば分かるように、個人投資家はよほど市場がいいときで残高の損益率がやっとトントン、調子が悪いときは10%以上の含み損を抱えているということを示しています。

これは他の国でも同じです。Odeanというアメリカにあるバークレー大学の行動ファイ

図16　国内信用取引残高損益率

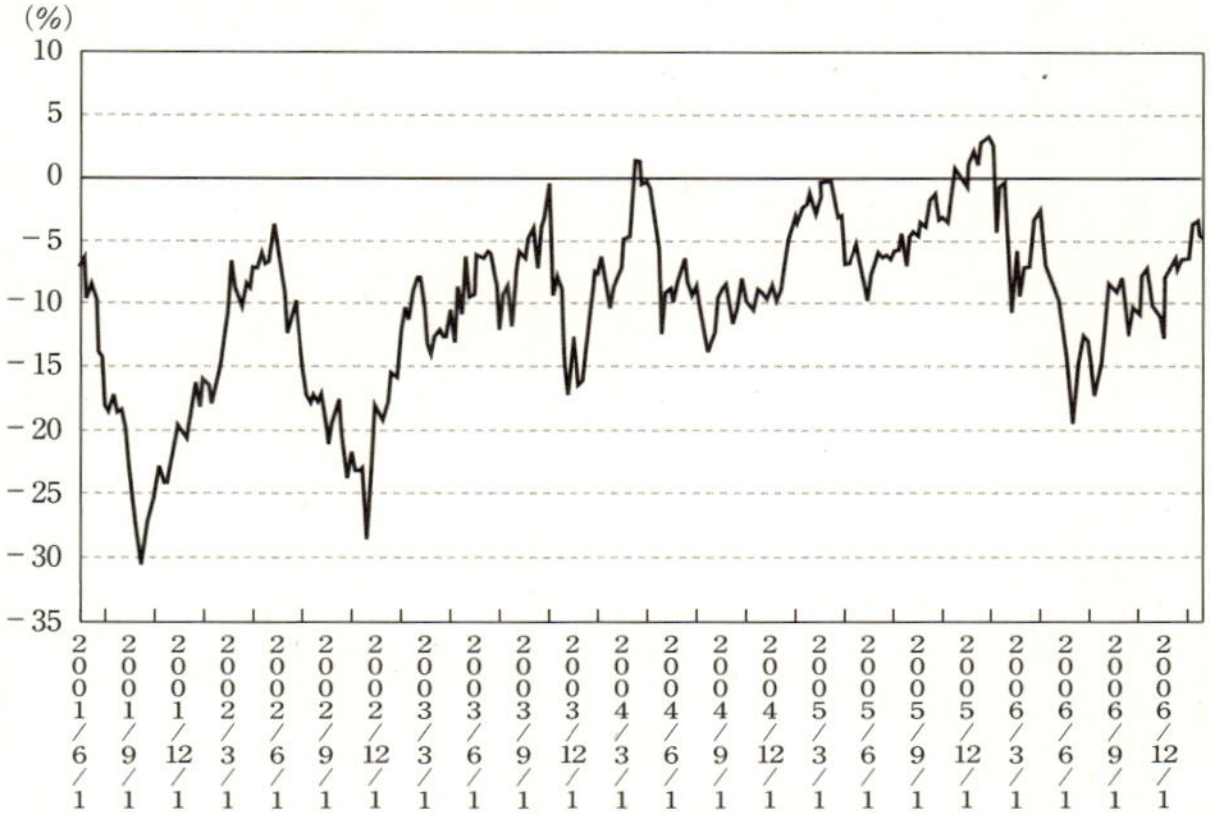

出所：トレーダーズ・ウェブ（http://www.traders.co.jp/investment/margin/transition/transition.asp）

ナンスの研究者が、アメリカと台湾のデータを使って個人投資家と機関投資家の損益を調べたところ、どちらの国でも、利益が個人投資家から機関投資家へと移っていました。

また、同じくOdeanの調査では、個人投資家が売った株はその後の1年間で11・6％も値上がりしているのに、個人投資家が持ち続けた株は5％しか上がらないということも分かっています。

では、個人はなぜ株で負けるのでしょうか。

まず、個人投資家とプロの機関投資家の違いについて図17（77ページ）に整理してみました。アミがかかっているところが機関投資家の強み、個人投資家のそれぞれの強みです。

この図からおおまかにいえるのは、機関投

資家は情報収集と資金管理に優れているため、高いリターンが得やすいということです。これに対し、個人投資家はトレーディングや意思決定などの小回りは利《き》きますが、情報収集力において機関投資家ほどの時間もコストもかけられず、また、損をしたとき、社内規定から強制的に損切りをさせられる機関投資家と違って損切りができず、「塩漬け」（大きく値下がりしてしまった株式をいつまでも持ち続けること）になる可能性が高いため、リターンが悪くなるということです。

したがって、もし個人投資家が機関投資家に勝とうとしたら、デイ・トレードのような小回りで小さく儲けるか、あるいは中小型のバリュー株といわれる、機関投資家が売買するには小さ過ぎるようなお買い得な株を買うという非常に狭い方法になります。

さらに、株式市場では、プロであってもコンスタントに勝ち続けることができる人はなかなかいないといわれています。これは「効率的市場仮説」という理論から説明されるのですが、私たちが金利の動向をうまく予測できないのと同じように、たとえプロであっても株式市場の個別の株の上がりや下がりについてはなかなか予測できないためです。

「効率的市場仮説」は、市場は効率的であるため、現在公表されているニュースについては市場の価格に即座に織り込む、という理論です。したがって、例えばどんなに過去のチャー

図17　機関投資家と個人投資家の違い

			機関投資家		個人投資家
情報	スピード	○	早い。日中も見ているし、アナリストも電話してくる。	×	遅い。日中は仕事があるし、入手先も自分しかいない。
	量	○	多い。複数の会社から情報提供がある。	×	少ない。手に入るものに偏りがある。
	アクセス先	○	社長やアナリストミーティング、IRなど豊富。	×	レポートや掲示板などに限られている。
資金管理	資金量	○	豊富。	×	限りがある。
	ポジションリスク管理	○	バランス、市場リスクなどを常に監視している。	×	銘柄数に限りがあるため、完全にはヘッジできない。
	損益管理	○	日々、洗い替えされ、報告される。	×	厳密には管理されていない人が多い。
	損切りルール	○	社内ルールが通常、厳密にある。	×	ある人もない人もいるが、ない人が多い。
トレーディング	手数料	△	最近はあまりかわらない。	△	最近はあまりかわらない。
	マーケットインパクト	×	特に中小型は自分で値を動かしてしまう。	○	大型でも、中小型でも、値を動かさず売買できる。
	意思決定	×	社内プロセスが必要なため、個人よりは遅い。	○	自分一人で決めるので、早い。
	ポジションの方向性	×	ほとんどの機関投資家は買い持ち（ロング）のみ。	○	ロングだけでなく、キャッシュにしたり、ショートも可能。
損益計算	パフォーマンスの測定方法	×	TOPIXなどの対ベンチマーク中心。	○	絶対パフォーマンス中心。
	投資期間	×	四半期管理が中心。	○	自由に設定できる。

筆者作成

ト分析をしたとしても、あるいは、財務諸表を使ってファンダメンタルズ分析をしたとしても、なかなか市場には勝てないという考え方です。

効率的市場仮説については、実証上、おおむね正しいと考えられています。もちろん、市場が価格を織り込むまでの数日間から数カ月ぐらいのタイムラグが生じたり、あるいは「アノマリー」といわれる、例えば小型株が大型株に比べて割安であるといったようないつまでも消えない現象も多少はありますが、全体から見ると小さなものです。

また、この理論からも分かるように、将来の予測は非常に難しいため、「ランダムウォーク」と呼ばれる、酔っぱらいが千鳥足でうろうろと左右するように株価が動く、という理論も唱《とな》えられています。極端な例では、アメリカのあるメディアが、サルにダーツ投げをさせて選んだ銘柄とプロが選んだ銘柄でそれぞれポートフォリオを組んだ結果、サルのポートフォリオがプロのポートフォリオのパフォーマンスを上回ることがある、ということを示したこともあります。

なぜこのような現象が起きてしまうのかというと、株式市場ではプロがしのぎを削り、少しでも割安な銘柄を見つけようと毎日努力しているため、多くの株式の価格はおおむね適正になってしまうためです。つまり、判断をしないサルに任せてポートフォリオを組んでも、市場平均と同じくらいのリターンを得られてしまうということです。

逆に、個人が一所懸命、チャート分析やファンダメンタルズ分析をし、真剣にタイミングを図って投資をすればするほど、より多くの情報を持ち、スキルを持っている平均的なプロに負けてしまい、結果として平均以下のリターンや損失が生まれてしまうのです。

したがって、個人が株式、特に個人に人気のある成長株を積極的に売買することは、宝くじを買っているのと同じことだと私は解釈しています。宝くじは、期待値では必ず負けるのですが、ほんのわずかにある、億万長者になる「夢」を信じて多くの人が宝くじを買い、そして損をするのです。これと同じように、私たちは次のヤフー、グーグルになりそうな株式を追い求めていろいろな成長株を買い、結局は損をして終わってしまうのです。

$

金利ものでは国債のイールドカーブを理解することが重要だと説明しましたが、株式では「市場は原則として効率的であり、個人が自分の力で割安銘柄を探すのはかなり難しい」ということをまず理解してもらえればと思います。

それでは、個人はどうしたら株式市場で儲けることができるのでしょうか。これは後に詳しく説明しますが、まず次の二つを守ることが重要になります。

① 自分の資産全体の中で、株式に投資をする割合を決めること
② 決めた割合の中で、株式のインデックス（市場平均値）に連動した投資信託や上場株式（ＥＴＦといいます）を買うこと

すなわち、自分で判断せずに投資するのです。もちろん、これだと面白くないと感じる人もいるでしょう。そういう人は「市場がまだ見つけていない値上がりしそうな個別銘柄」を狙って売買してもかまわないと思います。しかし、理論的に考えれば、個人がそれを行うのはあくまで趣味の範囲であり、利殖ではないということを理解の上、さらに損してもかまわないと思う金額内で実行することをお勧めします。

【為　替】……お金を外国に預ければ儲かるのか

株についてだいたい理解してもらったところで、次は為替の話に移りましょう。まず基本的な質問です。なぜ、外貨預金は日本の預金より金利が高いのでしょうか。また、理論上、そのような金利の高い国の通貨である、ドルやユーロ、オーストラリアドルなどに私たちの

図18　各国の金利比較

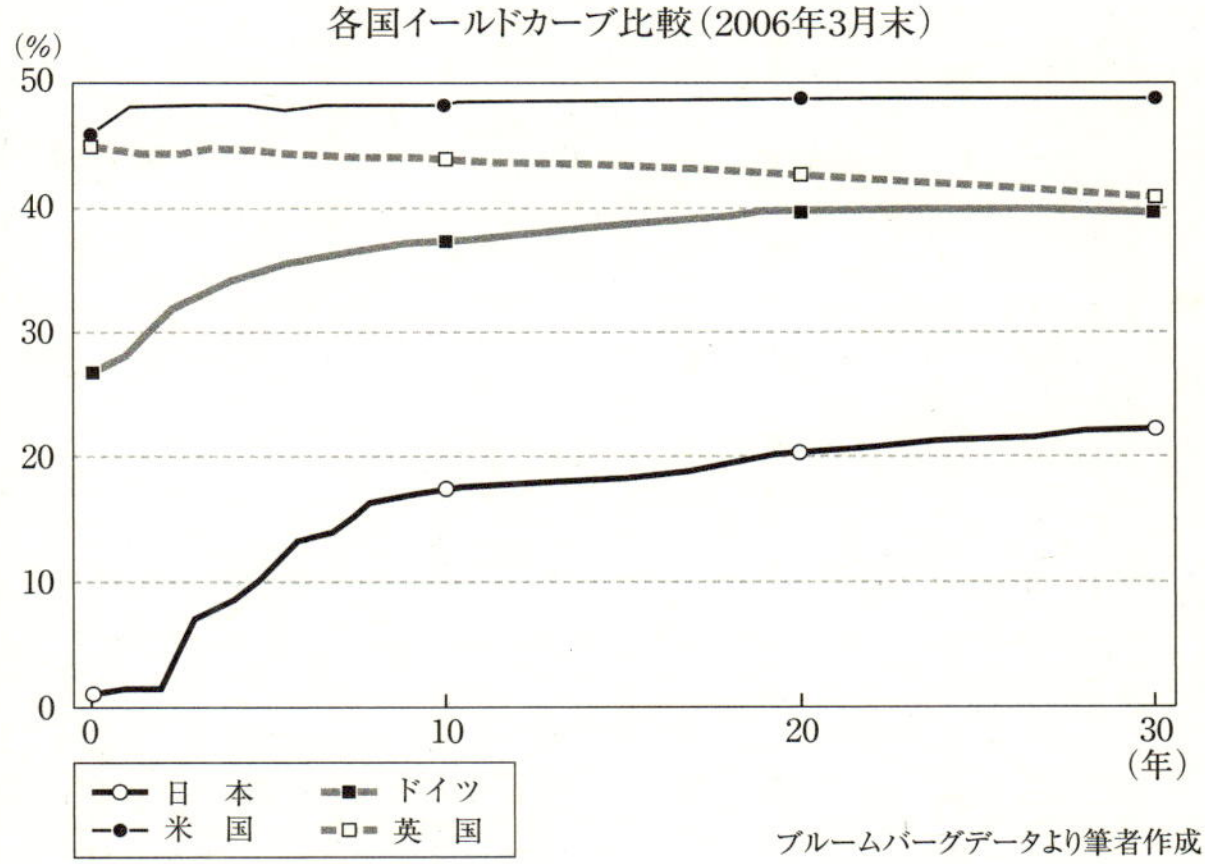

ブルームバーグデータより筆者作成

円資金を換えて預けていれば、必ず儲かるのでしょうか。

答えはもちろんＮＯです。しつこいようですが、金融の世界ではフリーランチ、すなわちタダ飯は存在しないのです。

海外の方が日本より金利が高いのは、リスクフリーレートといわれる、海外の政府が発行している債券（日本の国債にあたるもの）が高いことに起因しています。

図18で、日本、アメリカ、ドイツ、イギリスの金利を比較してみました。これは前述したイールドカーブですが、縦軸に金利、横軸に期間をとったグラフです。

例えば、同じ10万円をそれぞれの国に２年間預けるとした場合、日本では１％の金利になるかならないかですが、海外諸国では少なくとも2・5〜5%の金利がつきます。この結果、外貨預金は必ずといっていいくらい、日本の普通預金や定期預金よりも金利が高くなるのです。

では、なぜ金利は日本より他国の方が高いのでしょうか。金利はざっくりいうと、次の式で決まってきます。

金利＝インフレ率＋実質金利

これを一つ一つ考えてみましょう。まず、インフレ率とは物価の上昇率です。日本はご存じの通り、長期のデフレ状態が続いています。つまり、物価がなかなか上がらないということです。一方、海外のインフレ率で日本より低いところはありません(図19)。なんのことはない、金利が高い国と低い国との違いは、実はインフレ率の違いでほとんど説明がついてしまうのです。

また、実質金利は、お金を借りたい人と貸したい人の需給バランスで決まってきます。ただ、後で説明する「為替予約」というものを使えば、どの国の通貨でもお金を借りることが

図19　各国のインフレ率

国・地域	インフレ率							
	1999年	2000年	2001年	2002年	2003年	2004年	2005年	2006年
アメリカ	↑ 2.2	↑ 3.4	↓ 2.8	↓ 1.6	↑ 2.3	↑ 2.7	↑ 3.4	↓ 3.2
ユーロ圏	↓ 1.1	↑ 2.1	↑ 2.3	↓ 2.2	↑ 2.1	→ 2.1	↑ 2.2	↓ 2.1
日　本	↓▲0.3	↓▲0.9	↑▲0.7	↓▲0.9	↑▲0.3	…	→▲0.3	→▲0.3
イギリス	↓ 1.4	↓ 0.8	↑ 1.2	↑ 1.3	↑ 1.4	↓ 1.3	↑ 2.1	↓ 1.9

※インフレ率にはCPI（消費者物価指数）を用いている。
※2006年のインフレ率は確定値ではなく速報値。

出所：IMF World Economic Outlook 206（2006年9月版）

できるため、実質金利は通貨によって大きく変わらなくなります。

話を元に戻しますが、外貨預金にして金利分の儲けを得ようとすることは、インフレ率の低い日本の通貨を、インフレ率の高い国の通貨に換えて預金することに他なりません。

しかし、フリーランチはないということを考えると、何がリスクとなるのでしょうか。

それは物価の動向が目安となります。日本の物価は統計上、ここ10年来上がっていません。これは需給ギャップなどのファンダメンタルズ要因によるものです。一方、アメリカの物価は毎年、約３％ずつ上がっていきます。

例えば今、日本で１２０円のもの、アメリカで１ドルのものがあったとします。そうすると、これが10年後には日本ではあいかわらず１２０円のままですが、アメリカでは１ドル34セントにもなってしまうのです。このとき、為替では理論上、日本で１２０円のものと、アメリカで１ドル34セントのものを同じだけの価値があるとみなす「購買力平価」と呼ばれるものによって、10年後には１ドルは今の１２０円ではなく89円になっていることになります。

まさしく、このインフレ率の差が、日本の金利が安ければ外国に預ければいいではないか、ということが一概にいえない為替のリスクになります。世の中に何の変化もなければ、金利差、特にインフレ率に差がある限り、為替レートは理論上、どんどん円高に向かうことになっているのです。したがって、為替に対して常に円高圧力がある現状では、外貨投資は利率が高いから儲かるとは安易にいえないのです。

もし、今のレートで固定したいと思ったときは、「為替予約」という、一定の期日に一定の金額を、その時点の為替相場とは無関係に一定価格で為替取引を行う便利な制度があります。このとき、こういう制度があるならそれを使えばいいのではないか、と思う人もいるかもしれません。

しかし、話はそう単純ではありません。例えば、２年後のドルを買うために予約したとします。そのときには、現状分かっている金利差の分については、期間に合わせてレートがきっちりと調整されてしまうのです。例えば今１ドルが１２０円だった場合、２年後のドルは１２０円ではなく１１０円ちょっとでしか売買できません。せっかく利息で増えたとしても、その分は調整されてしまうのです。

つまり、どんなに外国の金利が高かったとしても、債券を買ったり、預金をして預入期間後に再び円に戻そうとしたときには、理論的には円がどんどん円高の方に向かっているため、結局は儲からないはずなのです。

「でもちょっと待ってくれ」という人もいるでしょう。なぜなら、例えばドル・円の為替レートは理論通り、必ずしも一方通行のように絶えず円高に向かっているわけではないからです。そう、ここが為替関連の金融商品を買うときの〝ミソ〟となります。つまり、これを逆にいうと「**理論通り円高に向かわない限り、円貨以外で運用した方が通常はリターンが高い**」ということなのです。錯覚を起こしてしまう読者もいるかもしれませんが、要は、為替レートが金利差で予定されているよりもゆっくり円高になるか、あるいは為替レートが今とまったく変わらないだけでも、外貨投資は円の投資に比べて儲かるのです。まして、これが円安になったら、金利差と為替差の二つの要因で大きく儲かることになります。

まさしく、このしくみを上手に利用したのが、2005〜2006年に何兆円ものお金を集め、大ブームになったグローバル・ソブリン債、通称「グロソブ債」です。グロソブ債は、日本よりも金利が高い世界各国の政府が発行した債券に分散投資を行う、投資信託です。金利差と為替差の両方を享受し、この低金利の時代に二桁%のリターンを達成してきました。

グローバル（global）……世界各国に投資をするという意味です。前述の例では、主にすでに発展してしまった先進国を取り上げましたが、発展途上にある国の金利は7〜8%に近い水準であることも珍しくなく、高い金利を狙うことができます

ソブリン（sovereign）……ソブリンとは、国王・元首などを表し、いわゆる政府を指します。日本だと国債になりますが、各国政府が借り入れのために出す債券を買うことになります

グロソブのリターンがなぜよかったかというと、

① 分散投資をしているため、為替リスクが軽減されている
② 金利が高いため、円高にかなり傾いても耐性がある

ということになります。そして、もう一つ別の理由は、

③ 多くの日本円がグロソブに向かい、対象となる国の為替も債券も買い上げたこと

に起因しています。すなわち、日本におけるグロソブ人気そのものが対象国の債券の値段や為替を上げてしまい、それで値段が上がったのです。

もっとも、いわれのない日本の低金利で苦しんでいた私たちの家計にとっては、グロソブは一つの解決策だったと思います。前に説明した通り、日本で国債と定期預金を比べた場合、定期預金が個人にとって損であるように、海外でも、定期預金に預けるよりは政府債を買って運用した方が比較的低いリスクで高いリターンを得ることができます。

グロソブの多くは毎月分配型になっており、その利率が高いため、自分たちの元本すらも配当に回しているのではないかという批判もあるようですが、それでも円で預けているより

はマシだという感覚を持っておいた方がいいと思います。

つまり、自分のすべての資産をグロソブに投資するのはたいへん危険ですが、逆にいえば、すべてを円で持ち続けていても、リスクを取って外債投資をしている人に比べるとリターンが低くなる可能性が高いということです。

グロソブ債は今ではすっかり人気が出てしまい、その上、最近は残高も頭打ち傾向にあります。したがって、上記③の理由が〝逆流〟（グロソブの解約が進むことで外貨建てのグロソブの価格が下がり、同時にグロソブの対象となっている国の為替も下がって円高になり、これまでのリターンが吹き飛んでしまう状態を指す）する恐れがあるため、現在のタイミング（２００７年秋）では積極的に購入を推奨することはできませんが、リスク・リターンの観点から見れば、円貨だけで運用するのは効率があまりよくないということをよく理解してください。

なお、グロソブというと、具体的にどういう国に投資をしているのか心配だと思いますが、例えば、ニュージーランドやオーストラリアなどです。Ｇ７に入るような先進国ではないけれども、成長力もあり、金利も高く、明日、明後日に急に債務不履行や政治クーデターが起こるような国ではない、というところにうまく投資を行っていきます。

一方、こうしたバランスのいい国の国債の量はそれほどあるわけではありませんから、日本のグロソブファンドがあまりにもこうした国債を買いあさってしまったことによって投資先が少なくなり、現状では、流動性のある普通の米国債なども多く組み入れています。

ここで注意しなければならないことは、「目のつけ所」のいい人たちがグロソブを買った後の数年間はリターンがいいのですが、グロソブという商品の存在が知れ渡ってしまった現在のような状況では値段もピークとなってしまうということです。

また、「こうしたグロソブのようないい商品をどうやったら初期に見つけられるのか」という質問を私はよく受けます。これについては第3章で詳しく説明したいと思いますが、その第一歩としては、金融の知識を自分なりに学び、「そういう情報を自分が欲しているのだ、必要としているのだ」という意識づけが重要になります。そのような意識がありますと、情報が自《おの》ずと目に飛び込んでくるようになります。

一方、グロソブのことを調べると、各国の国債が格付けされていることが分かります。それを見ると、日本国債よりも海外の国債の方が格付けが高くなっています。例えば、オーストラリアも、フランスも、ニュージーランドもＡＡＡですが、日本はＡＡ－（マイナス）、他国よりも2段階も低い格付けになっています（図20、90ページ）。

図20　世界主要先進国の格付け状況（2007年3月19日現在）

	Moody's 社	S&P 社
オーストラリア	Aaa	AAA
オーストリア	Aaa	AAA
カナダ	Aaa	AAA
デンマーク	Aaa	AAA
フィンランド	Aaa	AAA
フランス	Aaa	AAA
ドイツ	Aaa	AAA
アイルランド	Aaa	AAA
オランダ	Aaa	AAA
ニュージーランド	Aaa	AAA
ノルウェー	Aaa	AAA
スペイン	Aaa	AAA
スウェーデン	Aaa	AAA
スイス	Aaa	AAA
イギリス	Aaa	AAA
アメリカ	Aaa	AAA
ベルギー	Aa1	AA+
ポルトガル	Aa2	AA−
イタリア	Aa2	A+
ギリシャ	A1	A
日　本	A2	AA−
ポーランド	A2	A−

出所:ブルームバーグ

日本の国債の格付けが他国よりもなぜ悪いかというと、歳入に比べて国債の残高が他国と比べてあまりにも多いので、金利減免や、債務不履行のリスクが他国よりも高いと統計上は考えられるためです。実際、中南米を始め、これまでソブリン債でも債務不履行になったケースはあります。したがって、外貨にも資産を分散させておくことが信用リスク上の観点からも理にかなっているのです。

＄

ここで、グロソブなどの投資信託は手数料も高いし、同じ外貨で運用をするなら外貨預金はどうだろうかと考える読者も多いと思います。そのときに注意したいのが、外貨預金の手数料です。外貨預金は、次のように二重の手数料がかかるため、あまりお勧めできません。

①通貨を換えるときの手数料。円を外貨に、外貨を円に換えるときに、片道につき、ドルであれば50銭～１円のスプレッド（買値と売値の価格差）を要求されます。すなわち、市場では本当は１ドル１２０円で買えるのに、私たちが買うときにはプラス１円、つまり１２１円で買わなければならず、逆に売るときには１１９円で売らなければならないということです。その結果、特に短期運用の際には利率が大きく落ちます

②ソブリン債と定期預金のスプレッド。図15で示したとおり、通常、ソブリン債と定期預金の金利には差があります。例えば、同じ2年でも、米国債で運用をする方が日本の銀行の外貨預金に2年間預けるよりも高い金利がつくのが通常です

もちろん、外貨預金は流動性が高く、引き出したいときにはいつでも引き出せるというメリットがありますが、逆に、外貨運用をする資産はしばらく寝かせておいてもいいものにした方がいいため、このような流動性プレミアムに対してお金を払うのはもったいないと思います。

$

もし、外貨預金と同じ効果で金利を得たいと考えるのであれば、外国為替証拠金取引（FX）をお勧めします。外国為替証拠金取引とは、一定の証拠金を証券会社に預け、その何倍かの外貨を買うことができるものです。例えば、100万円をドル預金する代わりに、10万円を証拠金として預け、それを担保に100万円分のドルを買うのです。

買ったドルに対しては、スワップポイント（通貨の交換をする際に生じる金利格差のポイント）、すなわち、日本とアメリカの金利差だけ毎日得ることができます。1ドルの買いに

つき、利息は1日だいたい1銭ちょっとです。したがって、1ドル買った場合、1年間で約5円の金利がつくことになり、もし為替レートが1年前と同じままだったら丸々5円の儲け、逆に3～4円ほど円高になったとしても損をしないことになります。

外国為替証拠金取引が外貨預金よりも有利なのは、次の点です。

① 通貨を換えるときの手数料が外貨預金と比べてとても小さい。通常、数銭程度
② 金利は市中金利がそのまま適用されるため、定期預金よりも通常高い
③ 少ない元本で多くの外貨を買うのと同じ効果が得られるため、資産効率がよい

こうした要素から、FXもグロソブと同じく、個人投資家の間でひそかなブームとなっています。ただし、特に③の点から、小さな元本で簡単に何千万円分や何億円分も外貨を買えてしまうため、あまりにもリスクを大きく取りすぎるとギャンブルになってしまうことに注意してください。原則として、「為替の動きは誰も分からない」ということを前提に、自分の資産の限られた範囲の元本相当分（おおむね4分の1程度までが望ましいと筆者は考えます）にあたるドルを買うことをお勧めします。

また、ＦＸは店頭取引と取引所取引の二つがありますが、取引所取引の方が手数料も安く、流動性も高くなっています。したがって、もしＦＸを行うのなら、取引所の「くりっく３６５」の制度にもとづいた口座での開設をお勧めします。詳しくは、東京金融先物取引所が開設している公式ホームページを参照してください。「くりっく３６５」については、第３章の「実践」の章でも再び触れたいと思います。

「くりっく３６５」公式ホームページ
http://www.click365.jp/

【不動産①　住宅】……個人で持つ最も大きな金融商品

次に、不動産の話に移ります。日本で、リスクのある金融商品がなかなか普及しない大きな理由の一つに、「多くの家庭では住宅ローン、すなわち、すでに不動産に投資をしてしまっていて、他の金融商品については〝お腹がいっぱい〟」ということがあります。
しかし、家計から見ると、不動産は資産として価値が変動し、それにマッチングさせた形で住宅ローンという負債を抱えるという立派な金融商品です。ただ問題は、多くの家計における資産ポートフォリオにおいて、住宅ローンの負担が大き過ぎるということです。そして、住宅ローンに加えて生命保険料を払うと、それ以上の余裕資金が生まれず、他の金融商品が買えないという傾向があげられると思います。

ただし、不動産も金融商品ですから、適切なリスクを取って管理をすれば、不動産投資で資産を増やすことも可能です。そのため、不動産を金融商品と見た場合、他の金融商品にも買っていい金融商品（割安なもの）と買っていけない金融商品（割高なもの）があるのと同様に、買っていい不動産と買ってはいけない不動産があるのです。

不動産で特に問題となるのが、住宅ローンは銀行を始めとする数多くの企業の大きな儲け口になっているという点です。銀行は、対個人取引に関しては、大口定期（国債よりも安い金利しかつけていないことは前に述べました）と住宅ローンでしか儲かっていないといっても過言ではありません。

では、銀行が住宅ローンによって儲かるとはどういうことかといいますと、すなわち、消費者が損をしているということです。

これまで、株式や国債のリターンを説明するときに、「リスクフリーレート」という言葉を何度か使いました。リスクフリーレートとは、例えば日本ですと国債など、貸し倒れの危険がほとんどないと思われる相手に貸し出しをするときの金利です。住宅ローンの問題点は、私たちがそのお金を借りるとき、リスクフリーレートよりずっと高い金利でなければ借りられないということです。

図21を見てください。住宅ローンは、どの年でもリスクフリーレートに比べて2%以上も高くなっています。銀行は、安い利率の定期預金でお金を預かり、それを高い住宅ローンで運用することで経営が成り立っています。

もちろん、銀行から住宅ローンを借りる人全員が必ずしも返済してくれるとは限らないので、金利には信用リスクという貸し倒れリスク分が上乗せされていますから、銀行にある程度の利ザヤがあるのはしかたのないことです。しかし、もし、借りている私たちがローンを返せなくなるリスクがあまりないとしたら、返済しない人のリスクの分まで私たちは銀行に支払ってしまっていることになるのです。

では、借り主である私たちにとって分《ぶ》の悪いものがなぜそれでも成り立っていたかというと、これまでは投資した住宅が購入価格以上に値上がりしていたため、負債側が多少の利ザヤを銀行に支払ったとしても、資産側のリターンがそれを上回ることによって問題にならなかったのです。

図21　リスクフリーレート、住宅ローン、定期預金金利の比較

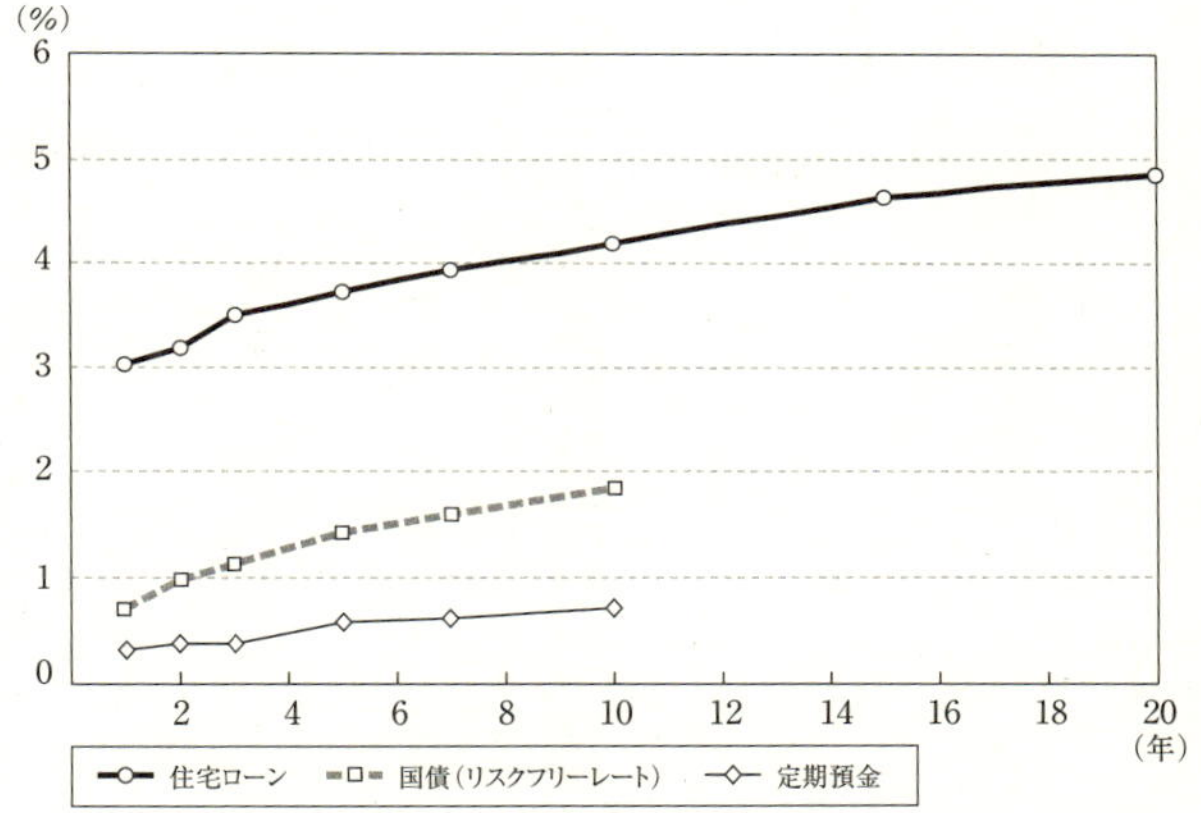

出所:ブルームバーグ、各社HP

例えば、住宅ローンを年率３％で払っていても、不動産（通常は住宅）の方が５％の利回りで回ってくれていれば、資産運用として正味２％「抜ける」ことになりますから、まったく問題なかったのです。

実際、土地がどんどん値上がりしている時代は、住宅ローンを借りられる人は借りた方が得でした。住宅ローンへの信用力がある社員、例えば企業に勤める正社員であれば、住宅ローンをどんどん組んで家を買ってしまった方が資産運用としては理にかなっていたのです。

しかし問題は、バブル崩壊以降、土地がほとんど値上がりしなくなってしまったという点です。図22（98ページ）を見てください。

図22　年代ごとの住宅地全国平均　年値上がり・値下がり率

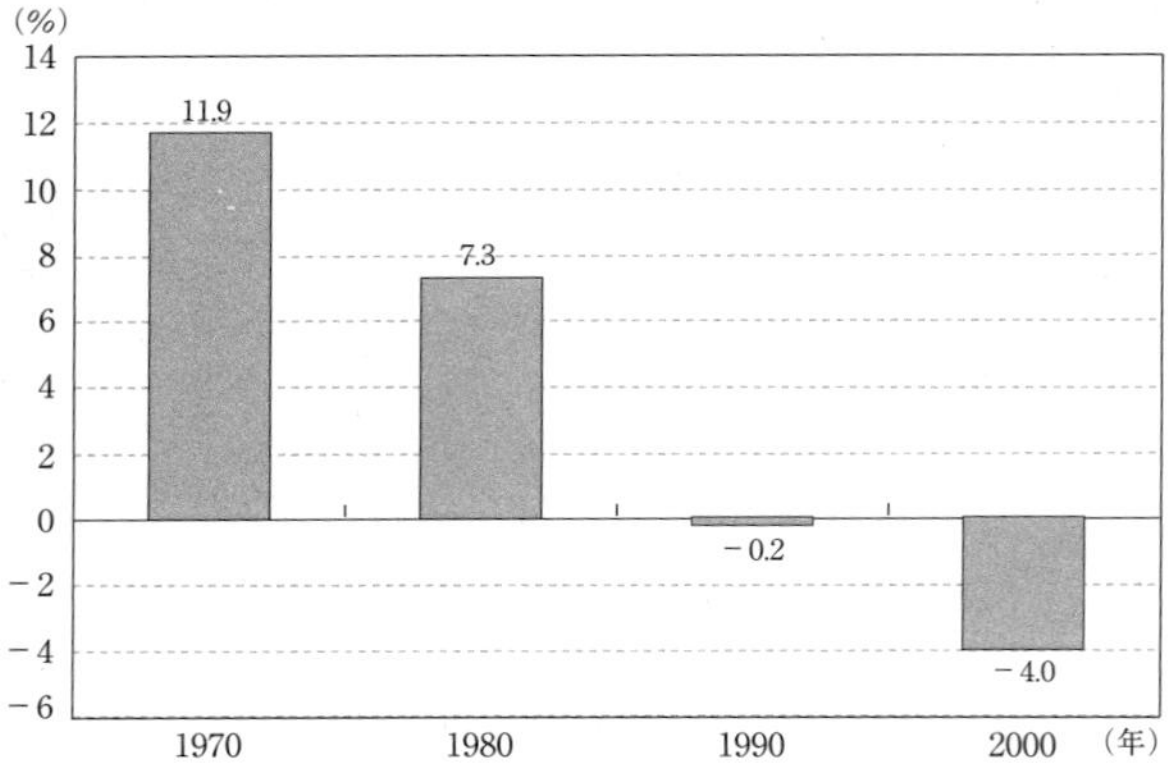

出所:国土交通省資料より筆者作成

１９７０年代は平均11・９％、１９８０年代でも７・３％ずつ値上がりしていた住宅地が、１９９０年代には「バブルのいってこい」(バブルで値上がった分がそのまま値下がったという意味）を含めてほぼ横ばいの状態までになりました。それが、２０００年代にはなんと４％ずつ値下がりしてしまったのです。

負債は３％以上の金利で借りていて、資産は４％ずつ値下がりするわけですから、金融から見ると、住宅ローンを抱えている家庭は平均的に毎年７％ずつくらい損をしてしまっていることになります。

また、住宅地の値上がり幅は世帯数の需給で決まるため、人口減少が始まった現在、住宅地の大幅な値上がりは期待薄になります。

したがって、住宅を資産として考えて住宅ローンを組む場合、その利回りまで考えて物件を吟味しなければならない時代に突入しているのです。

このように、金融資産という考え方からいうと、土地の値段が上がりにくいときは住宅ローンを組むべきではありません。なぜなら、もし住宅ローンを組めるくらいの頭金がある場合には、その頭金で資産運用した方がいいからです。

$

それでも住宅を買いたいという場合は、買っていい住宅と買ってはいけない住宅を吟味する必要があります。そして一般的に買ってはいけない住宅の最《さい》たるものが、新築マンションです。特に、大規模な宣伝を行っているような大型分譲の新築マンションは注意をしてください。

新築マンションをなぜ買ってはいけないのかというと、新築には必ずその建築業者の利ザヤが多く乗っているためです。購入価格のだいたい20〜30％ぐらいは、その新築マンションの広告費や粗利益であると考えていいでしょう。したがって、新築マンション——例えば４０００万円のマンションだとしたら——を市価で転売しようとした瞬間に３０００万円前後でしか売れないような、買った瞬間に値が下がるケースが多いのです。新築マンションはその1000万円分の儲けで、モデルルーム代やチラシ代、セールスマンの人件費までまかなっているのです。

もちろん、そのマンションにプレミアムがつき、買った後でも価格の下がらない住宅はありますが、それはあくまで例外的な物件です。

また、住宅を購買するときの特徴として、これまで住んでいた地域のそばで買う人が多いことがあげられます。今まで住んできた場所であるとか、以前に住んだことがあって非常に思い入れのある沿線を中心に買うという傾向があるのです。

ところが、値上がりする住宅、あるいは値段が変わらない住宅と、値が下がる住宅には特徴があります。住宅の需給は、他人が住みたいところかどうかで決まってきます。つまり、いくら住み慣れて勝手の分かったマンションでも、その地域が人口流出地域だった場合、その物件の値段は下がる可能性が高いのです。

一方、他人が住みたい地域――環境が良かったり、あるいは人がよく移動する地区――は恒常的なニーズがあるわけですから、その住宅は値下がりしにくくなります。これが、1990年代から2000年代にかけて、それまではどの場所でもだいたい値上がりする一方だった土地が、地域によって値上がりや値下がりをするような*まだら*模様になった理由でもあります。

さらに、マンションを金融資産という面から考えると二つデメリットがあります。

その一つは、マンションは集合住宅なので自分の意思で建て替えができないということ。売りたくなったときの再販価値に問題が出ます。

もう一つは、マンションの場合、修繕積立金と管理費などの維持費の値づけが自分でできないことです。この費用には、当然、管理人のコスト、管理会社のコストが乗っています。したがって、将来の価値に比べ、その分だけ資産価値を割り引かないといけません。

金融資産として考えるなら、新築マンションより中古マンションの方が無駄な経費がかからないために有利といえるでしょう。しかし、中古の場合、修理費など、新築より維持費がかかる場合がありますので、その分の価値も加味しないといけません。

また、住宅の購入時に忘れがちなのが税金です。現在、政府による住宅ローン減税など、いろいろな税制メリットがあるのでそちらに目がいき、有利であるかのように錯覚してしまうこともあると思いますが、そのメリット以上に実は支払う税金も非常に高いのです。不動産購入時に不動産取得税が３～４％かかる上、さらに年間の固定資産税まであります。

したがって「値上がりしない住宅」ということを前提として考えると、賃貸の方がメリットがあることがありうるわけです。例えば、もしその住宅を買ったとしたら5000万円する物件が、月に15万円で借りられるとしましょう。15万で借りると年に180万円、これを5000万で割ると、物件を貸す側にとっての物件利回りは3・6%となります。しかも、ここから固定資産税や維持費、減価償却費を払うわけですから、3・6%で貸しているということは、赤字になるかもしれません。

一方、物件を借りる側から見ると、同じ物件を買うと仮定して5000万円借りるとすると、住宅ローンの金利だけでも3～4%かかるので、金利分だけで税金などの負担もなく、その一戸建てが借りられることになってしまいます。したがって、もし15万円で借りられるのであれば借りた方がいいでしょう。

つまり、手元に500万円の預金があった場合、その500万円を頭金にして5000万円の家を買うのではなく、500万円で金融資産投資をすればいいのです。

前述したように、リスク資産への投資は平均すると6%から7%のリターンを生みますので、もし500万円の預金をリスク資産に投資した場合、年に30万～35万円のリターンを得られることになります。これは1年間の家賃の約5分の1に相当します。もし仮に1000万円の預金を持っていれば、リターンの分だけでも家賃の3分の1に相当します。

このように、住宅ローンは金融債務であり、取得した不動産もこれは金融資産であるという考え方をすると、住宅に対する見方はずいぶん変わるでしょう。

$

しかし、それでも住宅をどうしても持ちたいと思うのが人間の本性です。それはやはり人間には所有欲があるためです。ただ、その所有欲を満たすために自分がどのくらいのコストを払っているかということを計算することが大事なのです。

また、新築の一戸建てを建てる場合、建築中の金利コストを誰が負担するかという問題が生じます。建築中の家というのは誰も住めませんから、その住んでない間でも土地代はかかりますし、その建設費もかかってきます。その金利負担は通常、所有者が支払うことが通例です。したがって、利回り計算をするとさほど得でないケースがあります。

一方、一戸建てを売りに出すケースを考えますと、再販が建物つきの場合、標準的な作りの多いマンションに比べて売るのが難しくなるケースがあります。その住宅に「クセがつく」とよくいいますが、家族構成や間取りは当然、それぞれの家庭で違います。買う側から見れば、「このリビングは10畳ではなく15畳ほしい」とか「この部屋は和室ではなく洋室がいい」とか、そうした規格外のものが設計上にどんどん入ってくるので、売る側は売る前に標準的な間取りにリフォームするなど、その費用を負担するケースも出てきます。

さらに、不動産を売買するときには「流動性の高さ」を考慮する必要があります。流動性の高さとは、その地域に住んでいる人たちの出入りが激しいということです。もちろん、流動性は低いより高い方がいいのですが、流動性の高い典型的な地域とは、例えば一流大学の周辺などの物件です。こうした地域にある物件は値下がりしにくい傾向があります。

それはなぜかというと、人の出入りがコンスタントにある上に、一流大学の親はそれなりの社会力や資金力を持っていることが多く、購入時や購入後のリスクが低いこと、また、学生も親もその周辺を好むこと、さらに、学生として一度そこに住みつくとその街に愛着が湧き、社会人になってもその周辺に住むケースが多いこと、などの理由があげられます。

よく、地方自治体が〝いい学校〟や〝いい企業〟の誘致をなぜ熱心にするかというと、「街のグレード」を上げるためです。街のグレードが上がれば、そこに住みたい人が増え、売り手の方が買い手より有利になります。

また、これと同じように売り手の方が買い手より有利になるケースとして、やがて地下鉄や電車が敷かれるであろう地域に住宅を購入するという方法があります。なぜなら、5年後や10年後に実際に路線ができたときに、その地域の不動産価格は確実に上がっているからです（しかし、これはなかなかできないことですが）。

さて、人気のない地域に新築マンションを買ってしまった人はどうすればいいのでしょうか。そういう人は、売却を試みるのも一つの方法だと思います。

なぜなら、25～30年ローンを組んでいる場合、払っているのはほとんど金利分だけになりますから、資産形成という観点から見れば、住み続けること自体がマイナスになる可能性もあるためです。

これらが、最近、都心に賃貸で住みながら金融資産を多く持っているという層が増えてきている背景です。つまり、最も合理的な行動を取るとこのような形になるのです。

また、住宅ローンを持つことのもう一つの問題点として、行動の自由が縛られることがあげられます。それこそ、会社を辞めたい、転職したい、引っ越したい、といったときに住宅ローンを持っていると、そうした変化に対する行動が制限されるのです。昔のように、企業の倒産や合併などの心配のない比較的安定していた時代には問題なかったのですが、現在のように転職が珍しくない時代には逆にデメリットになってしまうこともあるのです。

もっとも、家を買うメリットもあることはいうまでもありません。例えば、家を持つことで身が安定するとか、自分の所有欲が満たされるとか、賃貸のように家主の都合で出ていけといわれる心配がないといった側面があります。

つまり、家を持つことのメリットとデメリットを天秤にかけ、自分が払っているほどのコストの価値が本当にあるかどうかを考えた方がいいということです。

$

ところで、住宅ローンに関しては、広告を始めとする宣伝などの「情報操作」にも気をつけなければなりません。なぜなら、住宅はこれまで述べたようにものすごく儲かる商品なので、住宅メーカーにしろ、銀行にしろ、あるいは税金を徴収する政府にしろ、そのほとんどは私たちに早め早めに住宅ローンを作らせ、住宅を買わせるように操作しているといっても過言ではないからです。

例えば電車広告を見てください。電車広告は費用対効果が図りにくいため、比較的宣伝費に余裕のある企業によって行われているのですが、電車広告を見渡してみると、中吊り以外のドアの上にあるような長期契約が必要な広告については、住宅、消費者金融、それに教育関係によって多くのスペースが占められています。費用対効果が分かりにくいにもかかわらず、なぜそれだけ大きな広告費を使えるのかといえば、それだけ使ったとしても儲かるものだからです。

また、銀行は個人取引において、住宅ローンをなるべく早く組ませることをゴールとしています。そのため、銀行はまず初めに個人に給与振り込み用の口座を開かせたり、公共料金の支払い口座を持たせたりして少しずつ顧客を囲い込みますが、その段階でのコストを考えると、通常、銀行はまだ「赤」です。銀行は、最終的に住宅ローンを組ませることに成功することで、この赤字を回収できるのです。

このような情報を知らず、無防備になんとなく莫大な住宅ローンを組んでしまうために、ほとんどの人は他の金融資産を持てなくなってしまうのです。

さらに、住宅ローンは定額支払いのため、住宅ローンを払っている人が勤め先でリストラされたとか減給されたといった場合、支払いに窮《きゅう》し、自己破産の原因にもなりかねないものです。これが賃貸であれば、住むところのグレードを落とすことで対処できますが、住宅ローンはこうした小回りが利きにくいのです。

また、住宅ローンは、それを組む銀行だけではなく、住宅メーカー、そして住宅を買ったときに一緒に買い換えたくなるようなもの——車、家具、電化製品——などの需要も伸ばすため、ある意味、公民を挙げて住宅取得を支援するわけです。

さらに、一般的に「30代男性で住宅を買わない人は一人前ではない」といったような思い込みもあり、慌てて住宅を買ってしまうケースが多いのですが、そのとき、非常に割高な買い物をさせられている可能性が高いということに注意すべきでしょう。

$

もちろん、不動産側の資産価値をしっかりと見抜き、自分の将来の稼ぎを担保としてより価値の高い不動産を買って利ザヤを稼ぐことも可能です。ただ、それには、よほど勉強してから買うことが必要です。逆にいえば、夢のある広告を見てなんとなく気に入ったから、また、きれいなモデルルームを見てなんとなく気に入ったから、といった理由で新築マンションを買うかぎりにおいては、そのような利ザヤは稼げないということです。

また、このようなしくみは日本に限ったことではなく、例えばアメリカなど他の国でも同じです。景気というものは、いかに住宅を買わせ、いかに借金を背負わせるかというところで決まるといっても過言ではありません。つまり、住宅はある意味、国としても、産業としても、一つの〝集金システム〟の役割を果たしているのです。

したがって、景気が悪くなってくると、各国政府は日本でも導入されているような住宅減税制度を取り、目の前の税金を少し安くしてあげるから住宅ローンをできるだけ組んでくれ、というような施策を訴えるようになるのです。

そして、こうしたシステムが過度に進んで住宅バブルの状態になると、2007年8月のサブプライムローン問題（アメリカの住宅ローン市場において、住宅値上がりバブルの終了と同時に信用性の低い人たちへの貸し出しが焦げ付き始め、倒産するローン提供機関などが出たことによって全世界で信用不安が広まったこと）のようなことが起こるのです。

このようなしくみを、自分にとってそれは有利なのか、不利なのかをしっかり見極められるようにしなければならないのです。

【不動産②　REIT（不動産投資信託）】……主力の金融商品になる可能性

住宅ローンの話がやや長くなりましたが、引き続き不動産について考えてみましょう。

不動産を、住宅ローンを組まずに自分の資産ポートフォリオの一部に組み入れたいときには、REIT（リートと発音します。日本語では不動産投資信託）を購入することでそれは可能になります。REITは証券取引所に上場されており、オフィスビルやマンションなどへの不動産投資をまとめてファンドにして、そのファンドを小口化して売っているものです。

このREITはアメリカでは1960年に始まりましたが、日本では2000年に解禁されたばかりです。解禁されてからまだそれほど時間が経っていないにもかかわらず、デフレ脱却、オフィスビル需要好調、金利低下、土地の値段の一部回復などの追い風によって、現在人気のある商品になっています。その理由は、利回りが国債などに比べて高く、現在も2％台後半から5％台前半の利回りのものが30前後も上場されているためです。

現在では、このＲＥＩＴは人気が上がって購入する人が増えたため、当初の利回りは5・5％くらいあったものが、3％を切るものも多くなりました。また、基準価格も大きく上がってきました。一口はだいたい100万円前後くらいから、証券会社を通じて株のように購入できます。

このように、ＲＥＩＴは基準価格も値上がりし、しかも国債以上の利回りがあるので非常に有利な金融商品のように感じますが、「タダ飯はない」ことを考えると、私たちは何らかのリスクを取らなければなりません。

そのリスクとは、住宅ローンに近い性質の「レバレッジ」（他人資本を使うことで自己資本に対する利益率を高めること）と呼ばれるものです。この場合、不動産をファンドで買うとき、すべてをファンドの出資者からの資金でまかなうわけではなく、一部を借入金でまかなうということです。

したがって、今後景気が回復して借入金部分の金利が大きく上昇すると、不動産の部分が必ずしもその金利ほど上昇しなかったり、あるいはオフィスビルなどが供給過剰になって空き室が出たり、賃料が下がったときなどには予定利回りが下がったり、基準価格が下がって損が出る可能性が生じます。

ただ、日本のREITの残高はアメリカその他の国と比べてもまだ5兆円程度（2007年10月現在）と小さいため、今後、市場規模はさらに大きくなっていくことが見込まれています。したがって、金融資産としてはまだあまり一般的ではありませんが、株や債券と並び、住宅ローンを組む代わりの主力の金融商品として育っていく可能性があります。

$

金融にあまり興味がないと、投資対象としては定期預金と株ぐらいしか思い浮かばなかったと思いますが、これまで見てきたように、外債投資やFX（外国為替証拠金取引）、ここで触れたREIT、そしてこれから詳しく説明する投資信託など、さまざまな金融商品があるということを知っておいてください。

【投資信託】……万人にオススメの金融商品

住宅ローンの続きでREITという商品を説明しましたが、REITも投資信託の一種です。さて、最近、投資信託という言葉を耳にする人も多いと思いますが、これは具体的にどのような商品を指すのでしょうか。

投資信託とは、多数の投資家から集めたお金を、資産運用会社、つまりプロが預かり、その資金を株式や債券、あるいは不動産などに投資し、その運用で得た利益を投資家に分配する金融商品のことをいいます。海外ではMutual Fund（ミューチュアルファンド）と呼びます。その中で、不動産に特化した投資信託がＲＥＩＴであり、海外国債に特化した投資信託がグロソブと呼ばれます。

この投資信託は、日本では『投資信託にだまされるな！　本当に正しい投信の使い方』（竹川美奈子、ダイヤモンド社、２００７年）がベストセラーとなって読まれるくらい、一般の人の間では良い印象がないようです。実際、内閣府と金融庁が２００７年5月に行った『貯蓄から投資へ』に関する特別世論調査」では、実に78・８％もの人が、これからも投資信託には投資したくないと回答しています。驚くべきことに、これは株式投資をしたくないという77・１％を上回る数字です。

諸外国と比べても、資産運用残高に占める日本の投資信託の割合は低く、他国のそれは10％前後であるのに比べ、日本では2％に留まっているような状況です（図1、20ページ）。

例えば、アメリカでは12％、ドイツで12％、フランスで９％、イギリスで５％です。

日本で投資信託がこれだけ敬遠されているのはなぜでしょうか。各種の統計結果や筆者の周りからのインタビューを総合しますと、投資信託は手数料が高い割には元本割れのリスクがある、証券会社や銀行が儲けるためだけに販売している、他の金融商品に比べて割高な商品である、という印象があるためだと考えています。

実際、投資信託は購入時にまず１～２％手数料がかかります。そして年間にまた１～２％の信託報酬がかかります。つまり、例えば10万円払って投資信託を買ったとすると、まず初めに１０００～２０００円分が天引きされ、さらに、投資信託によって５～６％稼いだとしても、そのうちの１～２％が信託報酬で天引きされることになります。

したがって、金融にある程度詳しい人は、自分で株や債券を調べた上で、いいと思う銘柄を直接買ったりした方がその手数料分を削れるのではないかと思い、逆に金融にあまり詳しくない人にとっては、そこまでの手数料を払ってまで投資信託を持つ意味がよく分からないのです。

さらにもう一つ投資信託に良くないイメージを持たせてしまったのは、証券会社や銀行が投資信託の手数料を目当てに、リスクをあまり説明せずにどんどん発売したり、あるいは

「回転売買」をさせてきたという経緯によって説明できます。

回転売買というのは、顧客に「こちらの投資信託がお得ですよ」といってまずはある投資信託を購入してもらい、すぐにそのまた1年後、2年後に違う商品を勧めて買い換えを促す手法です。この手法により、銀行や証券会社は売った瞬間に2％くらいの手数料が入りますから、短期で稼ぐにはすごくワリのいい商品になります。

銀行や証券会社にしてみれば、普通預金ではなかなか儲からないし、住宅ローンも競争が激しくなって労力も大きいので、そうであれば、窓口にたまたまやってきた、金融にあまり詳しくない消費者に投資信託を買わせようとする思惑があります。しかも、販売手法はみなマニュアルになっているのです。

さらに、顧客にとっては、勧められた投資信託が必ずしもいい商品であるとは限りませんし、また、顧客のライフスタイルに合ったものが販売されてきたとはいい難い面があります。こうしたことから、前述した『投資信託にだまされるな！』にも書かれていますが、金融の専門家から「金融機関のいいなりになるのはやめましょう」という大キャンペーンが張られている状況も無理ないことだと私も感じます。

とはいえ、投資信託が悪い金融商品かといえば、決してそんなことはありません。特に、元本が小さくなりがちな個人にとって、分散投資を上手にする金融商品としては、投資信託は実はとても優れた商品なのです。つまり、買い方、選び方、使い方次第で良くも悪くもなるということです。

$

「分散投資を上手にする金融商品」という言葉が出ました。繰り返しになりますが、金融商品を買うときには「分散投資」をする必要があります。金融商品に投資するとき、なるべく多種類の商品に分けてリスクを分散させることで大きくマイナスになることを防ぎ、リターンを確保できるということは理論上からも統計上からも証明されています。

そして、資金量の限られている個人投資家は、自分の資金がある程度なくなっても何の問題もないという人はいないわけですから、もともと分散して投資を行うことが特徴である投資信託を買うということは、手数料を払うという多少のデメリットがあったとしても理にかなっていると考えられるのです。

また、1%、2%の手数料をどう考えるかということなのですが、例えば、個人が株式投資をしようと考えて『会社四季報』を1冊買ったとしても、1800円程度かかります。いろいろ売られているマネー誌や投資関連書籍を買ったとしても、少なくとも1冊500円以上します。そう考えると、投資信託を10万円で買い、そのときの信託報酬が年2％だったとしても2000円ですから、少額投資の場合には投資信託を買った方が割安だと考えることもできます。あらゆる投資にはそれに伴った情報収集コストや管理コストがかかるので、それが正当な対価である場合には支払うのは仕方のないことなのです。

さらに、最近は「ノーロード」といわれる、売買時に手数料がかからない投資信託も増えてきており、その上、プロが自分に代わって運用してくれる、金融商品を買うときに必要な要素である分散投資があらかじめ備わっている、という二つの大きなメリットを考えると、投資信託を必要以上に敬遠するのは個人投資家にとってはとてももったいないことだと思います。

日本の株式市場を見ても、上場されている株式は3700社もあり、かつ、いくら安い株でも投資資金として数万円、通常は数十万円以上を用意する必要があることを考えると、それをプロが選んでパッケージにしてくれる商品を1万円から買えるということは、見方を変えれば非常にお買い得な商品だともいえるわけです。

また、日本の株式でしたら自分で投資することもできますが、BRICs（経済発展の著しいブラジル、ロシア、インド、中国の頭文字を合わせた4カ国の総称）の株に投資するフアンドや、ベトナムの株に投資するファンドなどは自分で情報収集するのがとても難しくなります。したがって、こうしたファンドに投資をしようと思っている人にとっては、多少の手数料を払っても、プロに頼んでしまった方が効率的です。

また、日本のGDPは伸びても数%止まりですが、新興国にはまだまだGDPで一桁台後半から二桁台の成長を期待できる国があり、こういう国に資産を分散投資すれば確率的には期待リターンも高くなります。

さらに、証券会社や銀行の店頭やオンラインで見ると分かりますが、同じ外国株でも、アメリカやヨーロッパを中心として投資をする投資信託もありますし、高配当株に投資をする投資信託、高利率の債券だけに投資をする投資信託など、この商品には何十、何百もの種類があります。あまりにも種類が多すぎて、売っている方もおそらく説明しきれないのではと思うくらいです。

$

ただ、ここでまた注意しなければならないことがあります。それは、これだけ種類があると、当然、売る側もある程度、商品を絞り込んで売るわけですが、売る方にとって有利な商品と、買う方にとって有利な商品は違うという点です。売る方は、すぐに儲かる手数料の大きい商品や信託報酬の幅が大きい商品を売りたがるでしょう。しかし、買う方にとっては、先にも触れたノーロードといわれる手数料のない商品の方がお得になります。ただし、ノーロード商品の中には、最初の手数料はなくても、その後数年間に必要な信託報酬が大きい商品も含まれているので注意をしてください。

また、売る側に不利な商品を売り込もうとする意図がなくても、買う側が、例えば「この投資信託で2年の間に150万円のリターンを得たい」といったことをある程度説明できないと、証券会社や銀行の人もどの商品を勧めてよいのか分かりませんし、結果的に不利な商品をつかまされることにもなりかねません。

逆に、どの商品を選んでよいのか分からない人は、「バランス型投資信託」という、株式や債券、円貨や外貨モノがあらかじめ適度にパッケージとして売り出されている投資信託商品もありますので、そのようなものを買うことも可能です。

とはいえ、投資信託はあくまでもファンドを小口化した商品ですので、その元になるファンドに対してどれだけの手間暇がかかるかで手数料や信託報酬という維持費が変わってきます。通常、日本円のものよりは外貨の方が手数料は高くなりますし、バランス型のように至れり尽くせりのような商品でも手数料は上がります。

さらに、一つ一つの商品には「目論見書」と呼ばれるパンフレットがついています。この中には、次のような情報、

▼投資信託の目的、投資対象や運用方針
▼販売手数料や信託報酬などのコストに関する事項
▼投資信託の信託財産の計算期間、監査法人
▼信託約款の内容

などが含まれます。

目論見書は法律により、販売会社は投資家に対して、またはファンドの購入時にこの目論見書を交付することが義務づけられています。

この目論見書をじっくりと自分で読んでから投資をするのが基本となります。ただし、目論見書は70～80ページ以上になるため、初めのうちは、その中でも特に重要な項目をまとめた10ページくらいの要約目論見書などを併用するといいでしょう。

私たちが投資信託を買う場合、よほどの多額の投資でない限り、証券会社その他の人がそ

れほど親身になって選んでくれるわけでもありませんので、まずは目論見書を読みこなせる程度に金融リテラシーを身につける必要があります。

$

また、投資信託には、単なる利益を追求したものだけではなく、さまざまな要素を付加したものもあります。例えば「エコ・ファンド」や「ファミリーフレンド・ファンド」と呼ばれるものです。エコ・ファンドは、環境に配慮している企業にだけ投資するファンド、ファミリーフレンド・ファンドは、ワークライフバランスや従業員および消費者の生活を大事にしている企業だけを対象にしたファンドです。こういったファンドは社会責任投資（SRI）ファンドと総称されます。

社会責任投資ファンドは、日本ではまだこうしたエコ・ファンドやファミリーフレンド・ファンドに関するもので占められていますが、欧米を中心に主力化してきています。例えば、お酒やタバコなど、体に悪いものを扱っているかどうか、発展途上国で児童福祉法に違反していないかどうか、宗教上の規律に反していないかどうかなど、さまざまな基準を設け、その基準をクリアしたもののみに投資していきます。この社会責任投資に関しては、最終章で改めて詳しく触れます。

この他にも、手数料が極端に低い「インデックス投信」と呼ばれるファンドもあります。なぜ手数料を抑えられるのかというと、人間が運用の意思決定に関わっていないためです。具体的には次のようなしくみです。

例えば「日経225」という株式の指数がありますが、これは日経新聞が225種類の株を市場から選び、その平均株価を指数化しているものです。そして「日経225インデックスファンド」という商品は、その日経225になるべく近づけるように、その構成銘柄をすべて真似して買っていくのです。そうすると、その商品は平均的な動きに限りなく近くなるため、市場に比べて大きく下がることもなければ大きく上がることもないファンドになるのです。つまり、高い給料を必要とするファンド・マネージャーを置かなくても、平均的なリターンが出るようなファンドを作ることができるのです。

そのため、インデックス投信の信託報酬は、通常の投信が年間、預かり残高の1~2%ぐらいだとすると、0・4~0・8%くらいしかかかりません。とても地味な商品ではありますが、手数料を考えれば、とてもお得にできている金融商品といえます。

したがって、高い手数料を払ってブラジル株やインド株の投信を買ってももちろんかまわないのですが、低い手数料で単純に全世界の株式インデックスに連動するような投資信託を買ったとしても、同じような効果を得ることは可能になるのです。

ちょうどブラジル株やインド株について話が出ましたので、こういった投信のリスク・リターンについても説明をしておきます。ここ数年、中国やインドの株は大きく値上がりしており、数年で数倍になっている投資信託も珍しくありません。そのため、書店に行くと、こうした新興国の株式や投資信託にいかに投資すればいいかという本が並んでいます。

ここで注意したいのは、急激に上がったものは急激に下がる可能性があるということです。これは専門用語で「リターン・リバーサル」と呼ばれるもので、大きく値の上がった金融商品はその後下がる確率も大きく、その逆に大きく値の下がった金融商品は、その後値上がりする可能性も高いことが統計上証明されています。したがって、先の例であれば中国やインドの株が上がり、書店にそうした入門書が並んだ頃に慌ててそれらの株を買うと、ちょうど買ったタイミングがピークで高値をつかまされる可能性があるということです。

$

ここまでさまざまな投資信託商品があることを見てきましたが、内閣府の調査によれば8割近い人がこうした投資信託を買いたくないと思っていることが示すように、〝自分には縁のない話だ〟と思っている人が多いかもしれません。

しかし、これまでに何度か触れましたが、幸か不幸か、今後、私たちの退職金の運用は、徐々に、自分たちでその運用先を決めなければならない確定拠出型年金（４０１ｋ）制度が増えることが予想されます。特に、２０１２年に適格退職年金の制度が廃止になるため、多くの退職年金が４０１ｋに移る可能性が高いでしょう。

ここで改めてこの４０１ｋという制度を考えてみます。この制度は退職金を払う企業側にとって実に都合のいい商品でして、これまでは企業側が背負っていた資産運用の利回りのリスクを従業員に押しつけてしまうための制度なのです。これまで、企業はある利回り（例えば４・５％）で、従業員が積み立てている退職金を運用するということをコミットし、実際の利回りがそれに満たない場合には、その部分を穴埋めする責任を持っていました。

ところが、４０１ｋはこのリスクを従業員に転嫁させてしまうのです。そして、従業員がリスクを取りたくなければ、勝手に定期預金に入れてくれ、その代わり、利回りが１％あるかないかでもゴチャゴチャ文句いうな、というそんなしくみなのです。

もちろん、定期預金だけでなく、企業側が投資信託を中心としたいろいろな運用先を用意するため、私たち従業員の側も自分でどの債券やどの株式、どの国に投資するのかを選ぶことはできます。しかし、それはあくまであなたたちのリスクで勝手にやってくれ、それについてはこちらの関与する問題ではない、ということなのです。もし、その運用で失敗すれば自分の退職金が減り、成功したら増える、その責任はあなたたちで、ということです。

ここで問題となるのは、４０１ｋという制度は本来、導入時に従業員に対する綿密な金融教育とセットで行わないと従業員が損をする可能性が高くなるものであるということです。実際、４０１ｋを導入した企業の従業員のうち、60％超の従業員は定期預金中心の運用を選び、ここ数年間の世界的な株式や債券の値上がりによる利益を享受できていません。これはとても不幸なことです。

さらに、定年まであと少ししかない人が、値上がりや値下がりの大きな可能性のある、例えばインド株や中国株のような投資信託に大きく資産を投入するような選択は、その分リスクが増えるわけですから好ましくないわけです。

ともかく、今後、多くの企業で４０１ｋが導入される可能性が高いため、それが始まるからには私たちも自衛する方法を身につけなければなりません。

自衛のための簡単な方法として、例えば「資産四分法」と呼ばれるものがあります。この手法は、資産をまずは半分ずつにして、その半分を国内で運用する投資信託、残りの半分を海外で運用する投資信託に投資します。そして、さらにその半分ずつを債券と株式に分けるのです。すなわち、国内株式、国内債券、海外株式、海外債券と、それぞれ4分の1ずつに分けて運用するのです。そして、運用先もすべて、前述した手数料が安くて平均的な利回りで回るインデックス・ファンドにすればいいのです。金融面からいえば、その方が、利率の低い円貨の定期預金に入れっぱなしにしておくよりはリスクの少ない運用方法となります。

４０１ｋの導入は、ある意味、これまで金融リテラシーを身につける必要がなかった人たちでも、好むと好まざるとにかかわらず、それを身につけなければならなくなるいいキッカケとなる制度と呼べるかもしれません。

私は、資本主義というものは、厳しいいい方をすれば「賢くない人から賢い人へお金が流れるしくみ」だと思っています。言い換えれば、資本主義の根幹をなす金融のしくみをよく知らなければ、それまで汗水流して働いて得た賃金が、いろいろな意味で、自分たちの資産からあっという間に流れ出てしまうしくみともいえるでしょう。つまり、毎日毎日、頑張って頑張って、せっかく1万円、2万円と稼いでいるのに、その裏側では住宅ローンや退職金運用で失敗し、数百万円単位の損をしているかもしれないのです。

もっとも、資本主義のいいところは、金融に限った話ではありませんが、情報もおおむね公開されているということです。すなわち、公開されている金融市場があり、法制度も決まっており、各種の理論的背景に基づいた投資の方法も学べるということです。こういったことを勉強していけば、ハリー・ポッターのように選ばれた人しか魔法学校に行けないわけではないのですから、自分で資本主義の魔法を学んでいくことが可能になるのです。

$

投資信託から少し話は変わりますが、退職後の資産運用や、あるいは自分で資産を運用しようと思った場合のリスクについて説明をさせてください。

まず、自分で投資を初めてやってみようとする場合、たいていの人は、まず書店で買ってきた金融関係の本を読み、見よう見まねでデイ・トレーダーのマネごとみたいなことから始めるケースが多いと思います。しかし、この場合、投資信託ならそうでもないのですが、個別の株やFX（外国為替証拠金取引）に手を出した場合はかなりの確率でお金をスリます。

その理由は簡単です。金融市場というものは、ある意味プロ同士の市場です。そこには、ずっとお金を運用してきて、なおかつ生き残ってきた人たちだけがいる場所です。そこに、知識もスキルも劣る素人が突然入っていったらどうなるでしょうか。まったく同じ土俵上に〝参戦〟するわけですから、それはプロ同士のボクシングのリング内に素人が突然入っていって闘うようなもので、ボコボコにKOされてしまうのがオチです。

しかし、なぜ〝参戦〟してしまうのかといえば、世の中に出回っている本の多くが『明日から儲かる株式投資』『成功する為替証拠金取引』といったような、比較的安易にお金儲けができるかのような提案をし、読者を誤導してしまうためです。

しかし、ここでちょっと考えてみてください。例えば、プロの心臓外科医になるには10年以上の教育期間とさまざまな手術経験が必要です。それを『あなたも3日で心臓外科医になれる』という本を読んだからといって、すぐに心臓外科医になれるとは誰も思わないでしょう。株式や債券への投資もこれと同じことです。個別株や個別銘柄の債券の売買をする場合、プロであっても一人前になるためには軽く5～10年の勉強期間が必要となります。しかし、株式投資の場合だと、なぜそうした本を信じてしまうのでしょうか。

住宅ローンは、銀行や政府、住宅メーカーが、それを組む人を必要とするから煽《あお》るのだという説明を前にしました。これと同じように、株式なども、証券会社や機関投資家が個人投資家を必要としています。なぜなら、損をしてくれる人、つまり〝カモ〟がいないと機関投資家が得をできないためです。したがって、こうした『○○○で簡単に儲かる』といった本が多く出回っている背景には、すぐに儲けたいと思う個人の弱い心を利用して、それを煽ることで儲けようとしている構造があるのかもしれません。いずれにせよ、そんなに簡単に儲かるのだったら、たかだか1000円か2000円の本でそのノウハウを教えてくれるはずがないという考え方が健全だと思います。

したがって、デイ・トレーダーは、よほどのスキルを持っていない限り、それはパチンコに近いギャンブルだと私は思っています。そして、パチンコは店の天引き率が10％あり、長い目で見れば徐々に負けていくように、デイ・トレーダーも手数料の天引き率が1％前後あるため、確率的にはトレードをすればするほど負けていくものだと考えています。

要するに、これまでに見てきたように、多くの一般の個人にとっては、プロ並みの知識とスキルを持っているという自信がない限り、多少手数料が高くても投資信託を買うという方法が一番現実的なのです。

【生命保険】……住宅に次ぐ大きな金融商品

次に保険の話に移ります。保険、特に生命保険は、本書を読んでいる人のほとんどが入っていると思います。そして、生命保険も大きな金融商品であるということは自覚しているでしょうか。

これまで日本人がリスクのある金融資産を持たなかった大きな理由が二つあります。その一つが、先ほどから説明してきた住宅ローン、すなわち不動産投資が大きかったためです。もう一つが、この生命保険です。これまでは生命保険が投資信託の役割を果たしていたので、金融商品としての投資信託をわざわざ買う必要がなかったのです。

ここで改めて生命保険を金融という視点から見直してみます。そして、金融という視点から見た場合、現在流通している定期保険や養老保険タイプの生命保険は、必ずしも今の私たちのニーズに合っているとは限らない、ということを説明していきたいと思います。

生命保険の契約内容は大きく分けて、次の二つの役割を持ちます。

① 死亡や病気などの不意の事故に対するリスクを軽減する（いわゆる掛け捨て部分）
② 退職後や、子孫のための資産運用として貯蓄に対応する（いわゆる積み立て部分）

しかし、この二つは加入者には意識的に分離されていません。例えば今、仮に読者の方が月々2万円の保険に入っているとします。この2万円のうち、いくらが死亡や病気のリスクを防ぐもので、いくらが貯蓄分に回っているかを確実にいえる人はいるでしょうか。そして、生命保険は、保障部分と貯蓄部分の分離の不透明さのゆえに、次の三つの問題点を抱えています。

① 貯蓄部分について、何に投資されていて、どのくらいの利回りになっているのか、加入者が理解しづらい

② 保険のコストは通常の金融商品の手数料よりも割高であり、かつ「詐欺コスト」など見えないコストも負担している

③ 死亡保障は定額保険が主流のため、本当に必要な額よりも多額の掛け金がかけられていることが多い

この三つを順番に説明します。

①は、純粋な金融商品として見た場合の生命保険の運用先の不透明さです。これまでの生命保険は、生命保険会社が、私たちが預けているお金を「予定利回り」という形で代行し、債券や株式、不動産に投資していました。したがって、街中にある多くのビルに「○○生命ビル」という名前がついているのはそのためです。

バブル崩壊前の日本では、金利も高く、不動産も十分に値上がりをしていたので、資産を

自分で運用しようが生命保険会社に運用してもらおうが、ほとんど問題ありませんでした。したがって、別のいい方をすれば、生命保険はバランス型の投資信託の代用商品として機能しており、消費者にとって合理的な選択だったともいえるのです。

ところが、バブル崩壊以降、生命保険会社が設定した予定利回りに実際の運用利回りがだんだん追いつかなくなり、千代田生命を始めとする一部の生命保険会社が破綻に追い込まれました。また、破綻に至らない生命保険会社でも、予定利回りを引き下げざるをえませんでした。その結果、生命保険は、金融商品としての魅力が失われるという問題が生じたのです。したがって、同じ月１万円を運用するとした場合、生命保険の方が有利なのか、通常の投資信託の方が有利なのか、厳しい目で比べていく必要があります。

②は、生命保険のコストの高さです。生命保険には「費差益」と「死差益」と呼ばれるものがあります。費差益とは、いろいろ業務にかかる費用――例えば人件費や事務費、税金などを払うための予定の費用――と、実際にかかった費用――契約者側が実際に払った費用――の差になります。また、死差益とは、生命保険の料金の計算をするときの予定の死亡率と実際の死亡率の差になります。これらは、どちらも通常プラスの値となります。

プラスの値になるということは、すなわち、十分な余裕をとっているということを示します。「投資信託は手数料が高いので投資したくない」という人が多いことは前述しましたが、生命保険にも、このように「費差益」と「死差益」という形で手数料がかかっているのです。

また、あまり公にされていないのですが、生命保険には一定量の「保険金詐欺」（保険金を詐取することを目的に保険に入り、ありもしない病気やけがを装ったり、場合によっては殺人まで犯すこと）がつきものです。そして、詐欺を完全に防ぐためには多額のコストがかかってしまうため、ある一定の「詐欺」の発生はしかたがないのですが、生命保険会社は、保険料を設定する際、一定の確率で「詐欺」が発生するということを前提に保険料を設定しています（割合としては小さなものですが）。つまり、私たちは詐欺師が保険金で儲ける部分についても費用を負担していることになります。

③は、死亡保障について、私たちは必要以上の保障金額を設定していないかを考えてみる必要があるということです。日本の定期保険では、ある一定の年齢までは同じ金額、例えば3000万円が出て、一定の年齢、例えば65歳を超えたときに急に500万円に下がるなど、保障金額が減るタイプの保険が多くなっています。

しかし、保険の本来の役割は、不慮のリスクに対する保障です。私たちは保険に入るとき、日常生活で何かトラブル——病気になったとか、事故を起こして入院したとか——に遭遇したとき、自分や自分の家族が生活に困らないようにという理由で入っていることが多いと思います。

もちろん、若くして亡くなることも考えて入っている人も少なくないと思いますが、そのとき、私たちは自分が死亡した場合、必要な保障にはいくら必要かということを厳密に計算しているでしょうか。

例えば私には三人の子どもがいますが、必要な保障金額は、自分が死亡したときにいくら、というよりは主に子どもの成長のための生活費だと考えています。そして、子どもたちは大学を卒業すれば自活はできるだけの能力がついてくれるという前提に立ちますと、子どもたちが大きくなり、大学卒業年齢に近づくほど、必要な保障金額は小さくてよいことになります。そのため、私は逓減型の生命保険に入っています。極論すると、私が死亡するときには、葬式代だけが残っていればいいと思っています。

このように考えると、私たちはムダなお金を払っていることに気づくのではないでしょうか。例えば、同じ保険を契約する場合でも、３０００万円の終身型保険、あるいは、一定年齢までずっと３０００万円払われる定期保険に入るのと、支払いが逓減型になる保険に入るのでは月々の支払額がまったく変わってきます。つまり、終身型の保険を逓減型に変えれば、その分、資産運用をする余地が出てくるのです。

$

住宅ローンの項目で、銀行も住宅メーカーも、私たちが住宅を買うことで潤っているという話をしましたが、これと同じように①から③までの問題の背景にあるのは、生命保険も、私たちがきちんとした計算をしないまま、割高なお金を払うことによって潤っているということです。そして、生命保険会社には、逓減型のように顧客の単価が低い商品は手数料も小さく儲かりにくいため、大型の終身保険や、一定型の定期保険を勧める動機があるのです。

また、日本特有の現象に、生命保険はこれまで、生命保険レディのような営業員が縁故に頼って勧誘するという形が多く取られてきました。今でも、ハローワークに行きますと、生命保険会社の人が勧誘のため、入り口で待っています（現に先日、雇用保険関係の手続きのためハローワークに行った私も勧誘されました）。

しかし、残念ながら、新人生保レディは、自分の縁者を加入させた後は、次の加入者をコンスタントに勧誘できずに辞めてしまうケースが大半です。その辞めてしまうまでの短い間に、私たちは新しい生保レディの知り合い（あるいは、学生時代の同級生の社員など）に頼まれて、貯蓄機能のついた大型の生命保険に加入してしまうのです。

もちろん、生命保険は死亡リスクを補い、家族を守るためのとても優れた商品です。つまり、ここでいいたいのは、金融商品としての生命保険と、万一の生活の保障のための保険部分をもう少し切り離し、かつ、もし過度に払っていた掛け金があるのであれば、それを生命保険以外の運用に回すことを考えてみる必要があるのではないか、ということです。

生命保険については、もし本書を読んだ方はいい機会ですので、今の保険を「逓減型保険」に変えることでどのくらい月々の支払いが減る可能性があるのか、一度試算をしてみることをお勧めします。

ただ、「乗り換え」によって生まれた差額については、別の方法で運用し、家計で使い切ってしまわないようにくれぐれも注意してください。

【コモディティ（商品）】……21世紀の注目商品

これまでに、債券、不動産、株式、保険などの金融商品について説明してきましたが、今後注目したい金融商品として、コモディティ（商品）を少し説明しておきたいと思います。

なぜなら、20世紀にはコモディティ（銅、金、石油、大豆、豚肉など）は、株式などに比べて値上がり率が低く金融商品としては魅力が小さかったのですが、21世紀に入り、コモディティは他の金融商品よりも値上がりの可能性が高く、俄然《がぜん》、注目を集め始めているためです。例えば、近年における原油の値上がりについては、みなさんの記憶に新しいところでしょう。私たちがコモディティを投資対象として考えるとき、商品先物（例えば大豆や小豆など）をすぐ思い浮かべますが、「小豆の先物」と聞くと、値動きが激しくて怖いもの、という印象があるのではないでしょうか。

実際、小豆だけに投資すればそれは危険なことになりますが、これまで見てきたように、分散投資を頭に入れておけばコモディティも怖がることはありません。コモディティを買うとき、投資先としては個別の先物を買うより商品ファンドといわれる投資信託の方が一般的です。これは、小口のお金を集めて、そのお金を多くの商品――例えば金属、エネルギー、穀物など――に分散して投資するものです。

商品ファンドの話を細かくする前に、なぜ今、このコモディティが注目されているのか簡単に説明しましょう。20世紀では、コモディティの需要は世界的な人口増加によってそれなりに増えましたが、それ以上に穀物やエネルギーの生産技術が発達したために供給も十分に増え、株や債券に比べて大豆や小麦、石油などは意外と値上がりしませんでした。

そして、20世紀中はコモディティがあまりにも値上がりしなかったため、多くの産業が割

図23　原油CIF価格（日本への輸入価格）の推移（ドル建て）

出所：http://www.toseki.co.jp/kakaku/cif.html

に合わないと考えてあまり追加投資を行わなくなり、供給の効率化がさほど起きなくなりました。ところが、20世紀の終わりごろから、中国・インド・東欧など、一部の国々による急速な工業化と人口増加を受け、石油や穀物への需要が急増したのです。その結果、21世紀に入るとその需給バランスが大きく崩れ、コモディティが再び値上がりを始めたのです。

その好例が石油です。図23を見てください。１９９９年に10ドル台だった１バレルあたりの原油価格は、２００７年には60～70ドル台になっています。ガソリンも、１リットル90円くらいだったのが１４０円になってしまったのはこのためです。

こうしたことから分かるように、今後、原

図24　コモディティ価格の推移

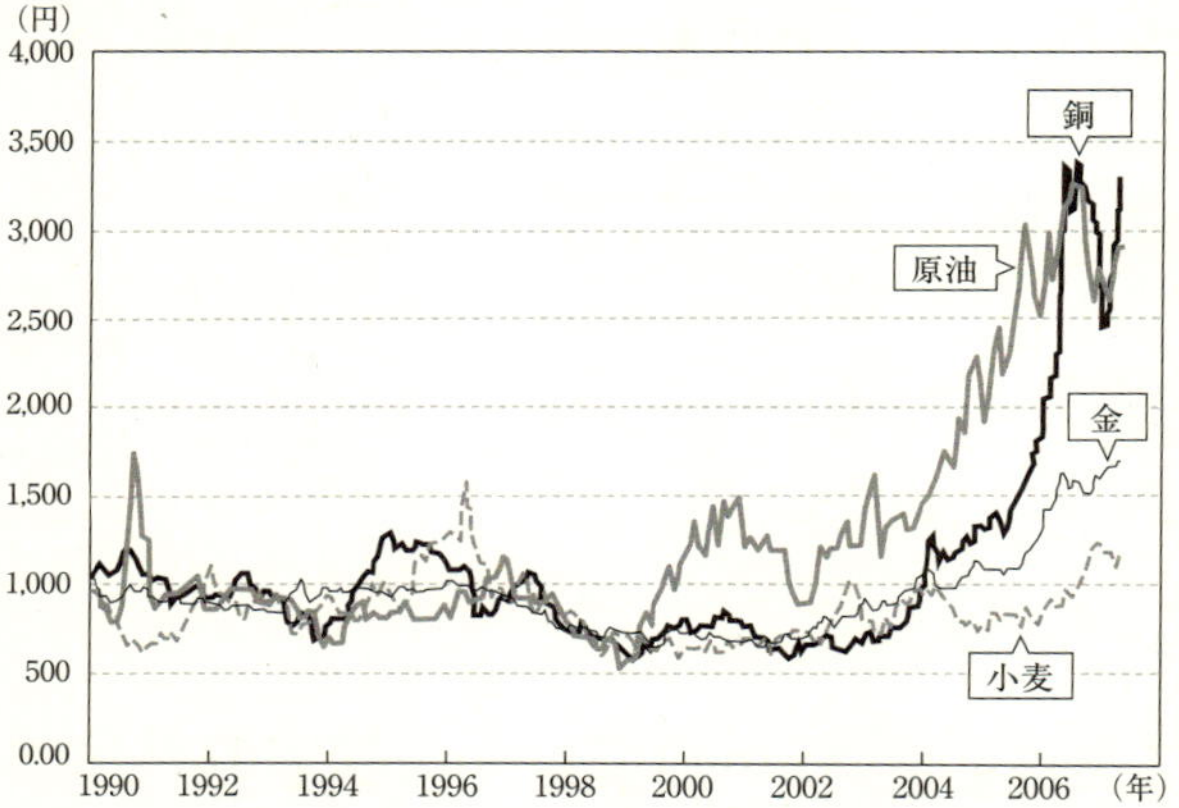

出所：ブルームバーグのデータ（2007年4月末現在）に基づき、三貴商事（株）が作成

油だけではなく、他のコモディティも同じように値上がりすると考えられています。

この値上がり益を私たちが享受するためには商品ファンドを買えばいいのですが、商品ファンドは債券や株式の投資信託に比べ、手数料がやや高いという欠点があります。

なぜなら、債券や株式の場合は、一つあたりのファンドの運用資産が数百億、数千億円とあるものも珍しくないのですが、商品ファンドはまだ知名度が低く、一つのファンドあたりの資産残高が数億円から数十億円しかないため、買うときの手数料が1～2％、信託報酬も年間2～3％と高額にならざるをえないためです。どちらも債券や株の投資信託に比べて、1％ずつくらい高い水準です。

図25　主な商品ファンド

ファンド名	販売業者	募集開始	運用資産残高（億円）
マイスタートラスト	岡藤商事	2006年9月	49.38
アセット トライ	三井物産	1999年2月	33.9
マイスターセレクト ゴール	岡藤商事	2005年12月	23.48
商品新時代TM［ロジャーズ国際商品指数TM］	三貴商事	2006年10月	21.81
マイスターセレクト	岡藤商事	2005年7月	17.09
マイスターセレクト 分配	岡藤商事	2006年11月	13.69
よろずファンド七福神プラス	ばんせい証券	2005年10月	10.47
天翔	カネツ商事	2005年3月	10.07
パーフェクト・ツイン・パワー Ｉ	ばんせい証券	2006年7月	8.44
オプション・マスター	日本ユニコム	2004年5月	5.14
新・財産三分法ファンド（愛称：天下三分の計）	オリエント貿易	2006年9月	5.06
ユタカ・トラスト・V	豊商事	2006年5月	4.48
ユタカ・オープン・トラスト	豊商事	2004年8月	3.99
商品新時代R農産物ファンド［ロジャーズ国際商品指数TM-農産物］	三貴商事	2007年4月	3.78
エース10 インデックスファンド	エース交易	2006年6月	3.35
ファンド for you 2005	ひまわりCX	2005年10月	2.84
ハイブリッド フューチャーズ ファンド	オリエント貿易	2004年8月	2.82
ユタカ・トラスト・翼	豊商事	2005年7月	2.52
スイッチヒッター	小林洋行	2005年5月	2.24
YFオープンファンドⅡ	豊商事	2003年3月	1.57
MSアセットバランス	日本ユニコム	2006年6月	1.42
四天王（プラチナ地金、国内先物型）	カネツ商事	1999年9月	1.39
JCCIコモディティ インデックスファンド（愛称：地球のめぐみ）	ハーベストフーチャーズ	2006年10月	1.36
福禄寿	小林洋行	2006年5月	1.23
四天王（プラチナ地金、世界先物型）	カネツ商事	1999年9月	1.14
四天王（金地金、世界先物型）	カネツ商事	1999年9月	0.92
四天王（金地金、国内先物型）	カネツ商事	1999年9月	0.69
龍神（プレリュード型）	カネツ商事	2000年10月	0.68
光陽パワーファンド	三貴商事	2004年5月	0.65
ガソリン・ブル	日本ユニコム	2005年6月	0.36
龍神（YFC-COMB型）	カネツ商事	2000年10月	0.28
ニュートラル・ファンド	日本ユニコム	2005年6月	0.23
龍神（風林火山型）	カネツ商事	2000年10月	0.12
ガソリン・ベア	日本ユニコム	2005年6月	0.1

モーニングスターより抜粋

それでも、図24（138ページ）を見れば分かるとおり、コモディティは値動きが大きい分、リターンの増加も見込めるわけですから、すべての資産を商品ファンドに投資してしまうのは危険ですが、個人の資産の一部を商品ファンドで運用することは分散投資の手段として有効です。商品ファンドは通常、10万円くらいから1万円単位で購入することができます。

現在、日本で売っている商品ファンドの一覧は、投資信託の評価会社であるモーニングスターのホームページなどで見ることができますので、ご参照ください。

投資信託や株式のリストは目に触れる機会が多いと思いますので添付しませんが、商品ファンドはあまり見る機会がないと思いますので、参考までに2007年10月現在の主な商品ファンドのリストを掲載しておきます（図25、139ページ）。

【デリバティブ】……先物・オプションの基礎知識

金融商品の記事を読むと、「先物」や「オプション」という言葉がよく出てくるのを目にする人も多いと思います。これらは「デリバティブ」、日本語に訳すと金融派生商品と総称されます。

初心者のうちは先物やオプションを自分で取引することはお勧めできませんが、これまで勧めてきた投資信託や商品ファンドにも先物やオプションが使われていますので、金融記事や投資信託の説明書を読むとき、これだけは押さえておきたいというポイントをここで説明します。

債券、株式、エネルギーなどの金融商品は、現物の株や商品を取引する市場のほかに、先物およびオプションという、現物を取引する代わりに現物を売買する権利を取引する市場があります。

例えば、債券や金利、小豆には先物市場があります。債券は東京証券取引所、金利は東京金融先物取引所、小豆は東京穀物商品取引所で取引されています。この取引は、例えば債券の場合ですと、実在する債券のことを指すのではなく、例えば金利が6％、満期が10年という架空の国債を作り、その国債を投資家が売買するという取引です。取引形態は実際の取引と同じで、債券の価格が上がると思えば買うし、下がると思えば売ります。

そして、先物で反対の売買をして精算することもできます。例えば、先物の債券を売っていた場合に、その先物の受渡日の満期が来たときに、先物を買い戻す代わりに、実在する10年国債（ただし、受け渡しが認められている銘柄に限ります）を相手に渡してもいいのです。

また、株式の先物の代表例としては日経平均先物があります。これは、日々発表される日経平均の値について何カ月後かの値を予測し、それが現在取引されている値段よりも高いと思えば買うし、安いと思えば売るという取引です。日経平均先物の場合は国債とは異なり、精算価格との差金決済のみになります。

先物は現物とは異なり、証拠金で売買できるため、現物の何倍もの金額で売買することも可能となります。その結果、先物の値段が現物の値段を決めてしまうような本末転倒の現象がときどき起こります。しかし、先物市場があることによって、例えば現物を持っている投資家が、その現物が長期的には上がるけれども短期的には下がりそうだと予測した場合、先物市場でその商品を一時的に売ることで、現物を売却せずに短期的な損を防ぐことができるのです。このような取引を「ヘッジ取引」といいます。

ある時代までは、個人がこのような先物取引に参加する場合、とても高い証拠金を積まなければなりませんでした。そのため、先物取引は主に機関投資家のみの市場でしたが、最近は、個人でも数十万円の証拠金があれば市場に参加できるようになっています。ただ、個人が参加するとしても、金額が大きくリスクの高い商品ですので、少なくとも金融資産を数千万円以上持ち、なおかつしっかりとした金融知識を持っている人でないとお勧めすることはできません。

しかし、一部の投資信託商品では、このような先物取引を積極的に使って成績を伸ばしているものもありますので、投資信託の目論見書や運用報告書に「先物」という文字が出てきたときには、「何か、現物の代わりに売買をしているもので、ヘッジとしてリスク管理に使ったり、あるいは小さな金額で大きく動かそうとしているものなのだ」ということを認識してもらえればと思います。

$

また、同じデリバティブでも、オプションの方は先物よりもう少し複雑です。しかし、オプションの概念は金融商品だけでなく日常にも役立ちますので、覚えておいて損はないと思います。

オプションというのは、ある金額で何かを売買する権利をいいます。例えば、ある投資家がいろいろな分析をした結果、今後日経平均が上がる可能性が高いと考えたとしましょう。このとき、前述した日経平均先物を1万8000円くらいで買ってもいいのですが、その他に、日経平均先物を、例えば来月に1万8500円で買う権利を150円で買うということもできるのです。単純にいってしまうと、先物を買うときに比べ、最大でも150円のオプション料の支払いのみで済み、もし、日経平均先物が1万9000円や2万円になったときには、1万8500円で買う権利は1000円や2000円以上にもなり、十分に儲かるというのが特徴です。

このケースは買う権利についてのオプション（コールオプションといいます）ですが、これと同じように、売る権利についてのオプション（プットオプションといいます）を売買することもできます。

例えば、1週間後に大きな選挙があるとき、ある投資家が、市場は与党が負けないと思っていても、自分は負ける可能性があると思っているときに、売る権利を買っておくのです。なぜなら、与党が負けると日経平均が下がる可能性が高く、自分の持っている株の価値が下がってしまうため、それを避けるためのヘッジ用として、来月に1万7500円で日経平均先物を売る権利を150円で買うという保険料をかけておくのです。

こんな便利なものだったら、買う人ばかりで売る人がいないのではないか、と思うかもしれませんが、実はそうでもないのです。というのは、オプションの価格を決める際には、確率的にここまで上がるはず、下がるはず、というものを計算して決めるので、売り手はそのときの計算ほど日経平均先物が上がらなかったり下がらなかったりした場合には、オプション料がそのまま丸儲けになるためです。

例えば、1万8500円で買う権利を150円で売った場合、現在1万8000円の日経平均が1万8000円のままで1カ月たって満期を迎えてしまうと、そのオプション自体が消滅してしまいます。そうなった場合、オプションの売り手は150円、何もしなくても丸儲けです。万一、日経平均が上がったとしても、満期の時点で1万8650円まで上がらなければ大きく損をしないしくみになっています。これは、生命保険会社がたくさんの保険を組み合わせて売っていても、トータルでは損をしないようになっていることと似ています。

最近、株へ投資する際、リスクヘッジしながら日経平均先物のオプションを買うことを個人投資家に勧めている本やサイトを見かけます。しかし、「タダ飯はない」ことを考えますと、オプションはオプションで「動かなかったら損をする」ということをよく覚えておいた方がいいと思います。

ちなみに、このオプションの概念が役に立つのは、宝くじです。宝くじも、オプションを買っているのだと思えば理解できます。つまり、300円を払うことで1億円当たるかもしれないというオプションを買っているのです。そして、そのオプションは高い確率で0円になります。

もっとも、宝くじの期待値（買った宝くじに対して平均的に戻ってくる賞金の金額）は40

%ぐらいですが、日経平均先物オプションの期待値は理論上、ほぼ100%ですので、同じ「くじ」を買っていると思えば、宝くじよりも日経平均オプションの方が割がいいことは理解できると思います。

$

ここまで、私たちが買うことのできる金融商品はこんなにもあるということを説明してきました。しかし、私たちは残念ながら、資産の大半を普通預金や定期預金、住宅ローンや生命保険に回しています。その他の金融商品に関しては、「グロソブってすごく儲かるんだって」とか「インド投信や中国投信がすごく上がっているらしいよ」といったように、断片的な知識しか持っていません。

ここまで読んできたみなさんにもう一度伝えたいのは、自分の資産を現金・預金として持つことは、リスク資産で運用するのと比べて大きな機会損失を生んでいるということです。そして、リスクとリターンがどのようなものかをより深く理解すると同時に、一つ一つの商品すべてにリスクとリターンがあるということも知らなければなりません。なおかつ、「タダ飯はない」ことを頭に入れ、リターンが高い商品は、それに伴う何らかのリスクを包含していることも知る必要があります。

だからこそ、私たちはすべての資産をインド株や中国株に投資してはなりませんし、逆にすべての資産を定期預金にしたままでもいけないのです。つまり、自分がどこまでのリスクを取れるのかを考え、しっかりと資産を分散して運用する必要があるということです。

そして、私はこの分散投資の対象として、今後、外貨資産を積極的に含ませるべきだと考えています。なぜなら、海外の大多数の国は経済の成長率が日本よりも高く、投資先としてより魅力的であり、また、金利も高いためです。

グロソブ債も、ＦＸも、インド投信も、みな海外投資です。もちろん、円安になる分には円貨で運用するよりリターンは必ず高くなりますが、円高になると必ずしもそうとは限りません。しかし、例えば日本とアメリカでは金利差が３〜４％あるため、日本で運用するよりはアメリカに投資した方が、たとえ１年間で４円くらい円高に傾いたとしても結果としてはリターンが高くなります。

実際、このように考える個人投資家がどんどん増えていることが、最近の円安傾向の一因でもあります。みな、これまで円貨で運用していた資産を積極的に外貨に換えているのです。

$

とはいえ「さあ、投資してみましょう」といきなりいわれても、実際はどのようにすればよいのか迷う人も多いと思います。これではまるで、英語を知らない人に「英語を話すことができれば海外の知識も豊富に手に入るので、明日からは英語を話した方がいい」といっているのと同じになります。しかし、英語を学ぶ際にも方法論があるように、金融を学ぶにも方法論があります。

第3章では、実際に金融リテラシーをどうやって身につければよいのかを実践に即した形で説明していきたいと思います。

第3章　実践

円高と円安、どっちがどっち？

まず、実際の勉強に入る前に、運用する際に必要な円高と円安についてもう一度おさらいしましょう。基本的な質問です。私たちが外貨の債券や株式を買った場合、購入時より円高になった方が有利になるのでしょうか。円安になった方が有利になるのでしょうか。

金融リテラシーとは、こうした質問について「う～ん」と唸《うな》って答えを出すのではなく、皮膚感覚で即答できるようになることです。

質問に戻りますが、答えは「円安になった方が有利」です。分かっている人にはくどいと感じられるかもしれませんが、事例を使って説明します。例えば、今、1万ドルのドル建ての年利5％の債券を買ったとします。1万ドルですから、為替レートが123円／ドルの場合、123万円を払う必要があります。そして、この1万ドルは1年後に利息が5％分、すなわち500ドルついて1万500ドルになります。

この時、買ったときと同じ1ドル123円の場合、円に戻すと1万500ドル×123円／ドルで、129・15万円になります。日本で1年国債を買ったとしても、今でしたら1％も利息がつかないので、せいぜい123万円が124万くらいにしかならなかったことを考えると、日本と比べて5万円分もリターンが高いことになります。

まして、これが円安、例えば1年後に130円/ドルになったとすると、1万5000ドル×130円/ドル、すなわち136・5万円になります。1年前に123万円だったものが136・5万円になるわけですから、利息と為替差益と合わせて13・5万円、円貨換算の利回りにすると10%以上、リターンが高くなったことになります。

一方、円高になって1年後に115円/ドルになったとすると、1万5000ドル×115円/ドルですから、120・75万円となります。すなわち、預けた123万円から2・25万円分も目減りして戻ってきてしまうのです。

円高・円安でどうなるのかは、このように計算をすれば分かりやすいのですが、もう少し直感的に理解するならば、円高というのは相対的に円の価値が上がること、円安というのは相対的にドルの価値が上がること、と区別するとより分かりやすいかもしれません。

つまり、私たちが外貨の債券や株式を買った場合、それはドルで預けている資産ということになるので、当然、ドルの価値が相対的に上がる円安の方がリターンが高くなるのです。また、前述の事例では、為替レートが117円14銭くらいですと、預けたときと同じ、123万円が返ってきます。すなわち、為替で5円以上、円高に動いたとしても金利で回復できるのです。

これと同じように考えれば、円高になるとなぜ輸入産業が有利になり、円安になるとなぜ輸出産業が有利なのかが分かります。円高、すなわち円の価値が上がれば、同じ円で輸入産業はよりたくさんのものを仕入れられ、円安、すなわち円の価値が下がれば、同じ品物で同じドルを稼いだとしても、そのドルをより高い金額で円に換えられるので、輸出産業が有利になるからです。

例えば、トヨタは為替をドル円で2008年3月期の相場を115円と想定していますが、これが116円と、たった1円、円安になるだけで営業利益が350億円増えます。逆に、114円になると350億円減るのです。

そのため、国内の株式市場も為替レートの動きによって株の上下などの影響が出ます。すなわち、円高になればトヨタのような日本を代表する企業の利益が下がるため、投資家は日本全体の景気が悪くなると考え、株式市場も下落するのです。

2004年5月から2007年8月の週次の終値《おわりね》を基準として為替と日経平均株価の相関係数をとりますと、0・89という数字が出ます。相関係数は、円安になったときには必ず株価が上がるという正の相関があるときが1、円高になると必ず株価が上がるという負の相関があるときがマイナス1、まったく相関がない場合には0になりますので、0・89というのは、非常に高い確率で、円高が進むと日本の株価が下がるという関係があることを示しています。

ここで、「為替相場が円高に向かうか円安に向かうかをあらかじめ予測すればいいではないか。そうしたら、為替でも、株でも稼ぐことができる」と考える読者の方もいると思います。しかし、金利の上げ下げが一般投資家の立場では予測できないと前に述べましたが、これと同じように、為替相場についても個人投資家のレベルでは原則として予測できないと考えた方がいいでしょう。

もちろん、エコノミストや為替の専門家は、経済のマクロ指標や需給などを見て為替相場を予測します。それが当たることもありますし、外れることもあります。しかし、どんなに精緻にデータを集めても、天気予報が確率論でしか当たらないように、為替相場も確率論でしか当たらないのです。

それはなぜかというと、これは「カオス理論」と呼ばれているものですが、天気にしろ、為替にしろ、その決定要因があまりにも多すぎて、ちょっとしたきっかけで結果が大きく変わってしまうためです。そして、私たちの情報収集能力や判断力では、そのすべてのきっかけとなる情報を集めることは不可能です。

ましてや、為替のチャートを見て、円高に向かうか円安に向かうかをコンスタントに当てられる人がいるとしたら、それによってノーベル賞を受賞できるでしょう。実際、私が知っている限り、為替相場についてほぼ予測できるとするモデルを開発し、統計上の有意性があるようなものは論文レベルでも見たことがありません。また、そのようなものを開発できたら、それだけで一生大金持ちになって食べていけます。もし私がそういうものを開発したら、他の人に教えないでしょう。

したがって、私が考える金融リテラシーというのは、チャートを見て為替の上下を当てる能力ではありません。為替は、前にも触れたように、「ランダムウォーク」（酔っぱらいの千鳥足のように、誰もどこに行くかは正確には分からない）であるということを前提として、そのランダムウォークの中で、どのような資産配分をすれば確率的に儲かるのかを身につける能力です。

私は、今後、為替が円高に向かうのか、円安に向かうのかは分かりません。分からないからこそ、円貨だけに投資する、外貨だけを資産として持つのは危険であり、円貨と外貨に資産を配分した方がいいと考えるのです。これが、これから説明していく金融リテラシーの考え方になります。

「じゃんけん理論」と「チャート分析」

さて、本書を執筆するにあたり、私は書店で、個人向けの資産運用の本はどのような内容のものが売られているのか、実際に店頭に見に行きました。なぜなら、私はこれまで、銀行や証券会社で実際に債券や株式を運用し、大学や大学院で理論体系から金融を学んできたため、初心者用の本を読んだことも手に取ったこともなかったためです。

そして、店頭でそうした本をざっと見て、あまりのショックに開いた口がふさがらなくなりました。その理由は、あまりにも理論的な裏づけに欠けているものや、理論上はまったくの間違いであるようなものが多く並んでいたためです。

もちろん、良心的な本も何冊かありましたが、率直にいって8～9割の本が理論的には初歩的な間違いを犯しており、そんなことが論文レベルで証明できたらノーベル経済学賞ものだ、というものがたくさん並んでいたのです。例えば『外国為替証拠金取引（ＦＸ）で年率２００％』『○○○で１０００万円儲かる』『チャート分析だけで値上がりする株が分かる』『インド株や中国株でこれから儲けよう』といったものです。

もちろん、それぞれの手法で実際に儲けている人はいるでしょう。デイ・トレードで何十億円も稼いだ人がいることも知っています。しかし、それらの多くはかなり希《まれ》なケースに含まれ、実際には儲かる確率と損する確率は五分五分といえます。

私はこれを「じゃんけん理論」と呼んでいます。例えば、１００人の人を集めて、１人につき５００円ずつ出したとします。そして、２人１組になってじゃんけんを行い、最後に勝ち残った人が５万円もらえるとします。最後に勝った人は５００円が５万円になるわけですから、投資リターンとしては１００倍となります。もちろん、勝った人はじゃんけんにとても強く、相手の心理を読んだり、手口を工夫したりしているかもしれません。

しかし、その人が違う人１００人を集めたとしても、必ずしもまた勝ち残れるとは限らないのです。なぜなら、じゃんけんの勝敗は理論的にはきっちり、相手と半々になることが実証されているからです。すなわち、何度もじゃんけんをやっていくと、最後は半々に近い勝率に落ち着くのです。これが、私が「じゃんけん理論」と呼んでいるものです。

しかし、５００円を出して５万円得た人は、たとえその勝敗が半々だったとしても、勝ったときの成功体験を元に『じゃんけん１００倍投資法』というような本を書くのです。

これと同じことがチャート分析にもいえます。前に述べたように、金融では「効率的市場仮説」と呼ばれるものがあります。これは、理論上、これまでの公開された情報についてはすべて株価や債券価格に反映されており、過去のチャートをどんなに分析しても、将来は予測をすることができないとするものです。

もちろん、本当のプロの中にはチャート分析で儲けている人がいるかもしれません。チャートは心電図のようなもので市場の心理状態を表しますから、そこからパターンを見いだすことは可能です。しかし、「バックテスト」と呼ばれる、主要な指標を使ったチャートパターンによる売買テストを行ったとしても、安定して優良な成績を残すチャート分析はほとんど存在しません。また、もし仮に存在したとしても、それを知っている人はわざわざその手法を本にして公開する必要はなく、淡々と自分でそれを使って儲けていることでしょう。

第1章でも触れましたが、実際、私は「日経マネー」を出版する日経ホーム出版社で集計した、個人投資家約8400名のアンケートを分析したことがありますが、そのときの特徴として、「チャート分析をファンダメンタルズ分析（財務・経済分析）よりも重視する」と答えた投資家の方が、ファンダメンタルズ分析をチャート分析よりも重視する投資家に比べて、統計的に有意な数値で運用リターンが悪いという結果が出ました。

したがって、特別なスキルや知識を何も持たない主婦や会社員が、FXやデイ・トレードで資産を何十倍にもしたという体験談を鵜呑みにし、為替や株式について理論的な勉強もせず、虎の子の10万円とか30万円を握りしめてチャートを見ながらデイ・トレードをするなら、それがお金をなくす一番の手っ取り早い方法となります。

もちろん、デイ・トレードで儲かる日も損する日もあるでしょう。しかし、これは、極論すると、出目を見ながらパチスロに熱中するのと同じなのです。パチスロでは、おおむね10%ずつ、やればやるほどお金が減るように換金率が決まっています。

同じように、FXや株式のデイ・トレードでも、トレードをすればするほど、1回のトレードに支払う手数料と価格差によって、だんだんとお金が減っていきます。そして最後には持ち金が少なくなり、残りのお金をすべて使うという危険な賭けに出て、全部なくしてしまうというのがオチとなるのです。

もちろん、ほんの少数ではありますが、デイ・トレードで生計を立てている人たちはいます。私も、実際にデイ・トレードでしっかりとコンスタントに利益を出している複数の人から直接話を聞きました。しかし、この人たちの特徴を見ると、勝敗自体が半々なのですが、勝った取引については、負けた取引よりも必ず大きな利益を得ているのでトータルとして勝っているのです。その代わり、日中は端末の前に張りついたままです。

つまり、優秀なデイ・トレーダーは、リスクを管理することで儲けているのであって、勝率で儲けているわけではないのです。

パチンコにパチプロがいるように、デイ・トレーダーにもプロがいます。しかし、もし私たちが職業として、昼間から毎日端末に張りついて作業ができるなら話は違いますが、昼間にほかの仕事をしている限り、デイ・トレードやスイング・トレード（短期売買）で儲けようというのはあきらめた方がいいと思います。

それでは、現実的にはどうすれば儲けられるのか、忙しい人のための投資運用方法を説明していきたいと思います。

金融でしっかり儲ける方法の基本5原則

細かい話に入る前に、必ず押さえておきたい5原則をまとめてみました。この原則から外れなければ、あり得ないような儲け話にフラフラとついていく確率は減ると思います。そして、すべての前提は「私たちは金融の相場は予測することができない」ということに基づいています。

第1原則　分散投資、分散投資、分散投資

第2原則　年間リターンの目安として、10%はものすごく高い、5%で上出来
第3原則　タダ飯はない
第4原則　投資にはコストと時間が必要
第5原則　管理できるのはリスクのみ、リターンは管理できない

第1原則は、分散投資です。予測できないのだから分散投資をしなければなりません。分散投資をすればするほど、リスクが下がり、リターンが安定するということは「CAPM」(資本資産評価モデル)といわれる理論を始め、いくつかの現代ファイナンス理論で証明されています。だからこそ、市場平均をコンスタントに上回るリターンを出すようなファンド・マネージャーはなかなか存在しないのです。

第2原則は、リターンに高望みをしないということです。「投資」という言葉を聞くと、持っている100万円がすぐに200万円、300万円になると勘違いしてしまうのが人間の常ですが、歴史的に見ても、年利のリターンはおしなべて5%あるかないかです。したがって、これが10%という二桁まで上がれば、上出来も上出来な数字といえるのです。しかし、ここで複利のことも考えなければなりません。10%のリターンで10年たてば、元本は2・6

倍になります。5%だとしても、1・6倍です。つまり、二桁のリターンというのは、金融の感覚でいうと夢のように高い数字なのです。

第3原則は、タダ飯はないということです。もちろん、第2原則とは異なり、年率30%とか40%のリターンを出している金融商品はあります。しかし、それは逆に、それくらい下がるリスクがある商品だったからこそ、それだけのリターンを得ることができたということです。また、単年度で30~40%を出したとしても、5年、10年リターンを見ると、平均的な数字に落ち着いていく可能性が高いのです。これとは逆に、リスクを取らないことも可能ですが、その場合、日本を例にあげるなら、5%どころか2%のリターンを稼ぐのも大変でしょう。とにかく、タダ飯はないということです。

第4原則は、投資にはコストと時間が必要だということです。「投資信託の手数料が高すぎる」という話をよく耳にすることは触れましたが、実際、ファンド・マネージャーに頼まずに自分で運用したとしても、情報収集コストはかかります。そして、売買をする度に、証券会社に支払う手数料もかかります。儲かったら儲かったで税金を払う必要があります。投資したときのリターンの平均値、5~10%の中から、そのような情報収集コストを捻出し、さらにじっくりと時間をかけて投資信託の目論見書を読みこなしたり、経済統計を確認するなど、コツコツと勉強をする必要があるのです。

第5原則は、私たちが管理できるのはリスクのみで、リターンを管理することはできないということです。繰り返しになりますが、私たちは相場を予測することはできないのです。したがって、決定できるのは、リスク量のみです。ハイリターンのものにはハイリスクが伴います。自分がどこまでなら資産を減らしてもいいのかという「最悪の計算」の下《もと》で自分のポートフォリオを作るのです。その結果として、リターンが生まれるのです。

ここまでが原理原則です。次に、ステップ別の具体的な手法を説明していきます。

金融リテラシーを身につけるための10のステップ

「はじめに」でも触れたように、本書は、本書を読み終えた1年後には金融の基礎知識や商品知識がだいたい分かり、リターンを自分でコントロールできるようになる地点をゴールとして設定しています。そのためには、次のような10のステップを踏みながら少しずつ地固めすることがその近道となります。

ステップ① リスク資産への投資の意思を固める

ステップ②　リスク資産に投資をする予算とゴールを決める
ステップ③　証券会社に口座を開く
ステップ④　インデックス型の投資信託の積み立て投資を始める
ステップ⑤　数カ月から半年、「ながら勉強」で基礎を固める
ステップ⑥　ボーナスが入ったら、アクティブ型の投資信託にチャレンジ
ステップ⑦　リスクマネジメントを学ぶ
ステップ⑧　リターンが安定したら、投資信託以外の商品にチャレンジ
ステップ⑨　応用的な勉強に少しずつチャレンジ
ステップ⑩　金融資産構成のリバランスの習慣をつける

この10のステップを、これから順に説明していきます。

ステップ①　リスク資産への投資の意思を固める

金融リテラシーを身につけるためには、「実際に投資をしてみること」が必要です。たとえどんなに本書を隅から隅まで読んだとしても、ふんふんと納得したとしても、実際に投資

しなければ、それはあくまで「机上の空論」になります。

そして、余裕資金がまったくないという人はほとんどいないはずです。「資産運用はしたいのですが、まずその資金がありません」と相談をよく受けるのですが、これまでも説明してきたように、例えば住宅ローンを見直す、今入っている保険を見直す、車を持つことをやめる、といったように、日常にかかっているお金を少しでも見直せば、資金を捻出することはそれほど難しいことではありません。ブランド品を買うのをやめることで資金を捻出することもできるでしょう。

さらに、少なくとも普通預金くらいはみなさん持っていると思いますが、普通預金だって立派な投資なのです。ただ、ここで推奨したいのは「リスク資産に自分の意思を持って投資してみること」となります。繰り返しますが「リスク資産」とは、元本保証のない資産を指します。そして「タダ飯はない」ことをしっかりと頭に入れ、管理をしながらリスクを取っていけば、しっかりとしたリターンを得ることができるのです。

これまでリスク資産に投資をしてこなかった人の二大理由は、「仕事で忙しく、そんなことを勉強している時間はない」「自分の少ない資金では運用してもどうせほとんど利益が出ないから、定期預金にしても、他の資産にしたとしてもそれほど変わらない」というものだったと思います。

しかし、それは違うのです。「金融の勉強をしないから、いつまでも労働でしか対価を得られないために忙しい」のであって、かつ、「運用をしないから、いつまでも資金が少ないまま」なのです。鶏と卵の関係です。金融の運用については、実際に行ってみて初めて「ああ、このような稼ぎ方があったのだ」と感じると思います。まずは、投資してみてください。

ただ、資金を急に１年で２倍や３倍に増やせる投資手法は少なくとも理論上はどこにも存在しません。もしあるとしたら、それは違法なインサイダー取引か、違法な街金業者の取り立てくらいです。しかし、年率５〜10％でじっくり増やす方法はいろいろとあります。

年率５％でも10年後には１・６倍、もし年率10％だったら10年後には２・６倍です。いま、手元に３００万円あるとして、これを７・５％による年利複利で20年運用すれば、20年後には１２７４万円になるのです。

$

余談ですが、私が大学院で会計を学んでいたときの博士課程の指導教授から聞いた印象深い話があります。その指導教授の指導教授だった先生は、引退するときに大変な資産家になっていたそうです。というのは、会計の研究をするためには、さまざまな企業の有価証券報告書を手に入れる必要があったのですが、インターネットが発達していなかった当時は企業へ直接問い合わせして入手するしか方法がありませんでした。そして、会社へのアクセスをスムーズに行うためにはその会社の株を取得するのが一番手っ取り早い手段だったそうです。

そして、研究のため、さまざまな会社にどんどんと株を増やしていったら、その株が長年、高いリターンで運用されたため、教授を引退する頃には〝億〟単位の資産が積み上がっていたということでした。もっとも、その教授はその資産のほとんどを研究のために買った株で得たものだから、ということで大学に寄付をしてしまったそうです。

$

この例からも分かるように、リスク資産を持たないということは、忙しさの中で、本来その資産を運用していれば得られるであろうお金を放棄していることにもなるのです。その機会費用のもったいなさを認識し、リスク資産に投資する意思を固めてください。

なお、「自分の意思で投資する」ことを強調するのは、住宅ローンや生命保険、そして年金など、私たちは知らず知らずのうちに大きなリスク資産を背負っているためです。このように、知らず知らずのうちにリスクを背負う、ということではなく、自分の意思を持ってリスク資産にお金を預けてみよう、ということです。ただ、その際にリスクを知り、自分たちの投資先をしっかりと管理をする必要があります。
私たちは、自分のお金を労働力で稼ぐ、自分で稼いだお金を消費する、というやり方にはとても慣れているのですが、自分のお金が自分以外のところでお金を稼いでくる、あるいは自分で稼いだお金を消費という形ではなく投資をするという考え方には、今一つなじみ切れていません。
しかし、例えば仕事において、新入社員の時点からすぐに仕事ができるわけではなく、さまざまな経験の中でいろいろなスキルが磨かれていくように、金融についても投資を行うことで、まずはその一歩を踏み出してほしいと思います。

ステップ②　リスク資産に投資をする予算とゴールを決める

リスク資産に投資をしようと決めたら、次に決めるのは予算とゴールです。私は、次の二つをゴールのイメージとしてお勧めします。

【ゴール①　生活資金の最低6カ月～2年分を貯める――20代後半から30代後半まで】

第一の目安として、必要な生活資金1カ月分×6、すなわち最低6カ月、できれば2年分の資産を貯めることをお勧めします。

例えば、家賃や食費、子どもの教育費、遊興費などで月に30万円の経費がかかる家庭があったとしましょう。この場合、最低30万×6カ月＝180万円、2年であれば720万円までの資産を貯めることを目標にします。

なぜ「最低6カ月」という数字が出てくるのかといいますと、例えばサラリーパーソン生活を辞めてフリーランスになりたいと思ったり、あるいは転職活動をしたいと思ったりした場合、それによって収入が数カ月から半年間は途絶えるためです。

そして、それがボトルネックになって、仕事を辞めたいと思ったり、独立したいと思ったりしたときに踏み出す決心がなかなかつかず、自分の意に沿わぬまま今の職種にとどまってしまうということが往々にしてあり、それを避けるための一つの目安です。

金融リテラシーを身につける目的は、私たちのワークライフバランスをよりよくすることであり、生活の自由度をより高めることにあります。したがって、まだまだ労働の自由がきく若年のうちは、その労働の自由を高めるための資産を積み上げることをお勧めします。

もちろん、この資産は非リスク資産で積み立てることも可能ですが、リスク資産で積み立てる方が月々の積立額が小さくなります。例えば35歳の時点で800万円の資産を貯めようと思った場合、22歳から積み立てを始めたと仮定すると、年利4％（税引後）で運用が回っているときには、年に43・7万円、月々3・64万円ずつで済みますが、年利0・5％だとすると年に55・3万円、月々4・6万円ずつ積み立てなければならないのです。つまり、月々の必要な積立額に約1万円の差が出ます。

22歳から積み立てるのが難しい場合、今からでも遅くはありません。例えば今、30歳の人が40歳までに同じく800万円の資産を貯めようと思った場合、年利4％（税引後）を仮定すると、年に59・3万円、月に4・9万円ずつ積み立てれば大丈夫です。若い時点に比べて多少は給料が上がっているので、積み立てやすくなっていると思います。

リスク資産を月々3万〜5万円ずつ積み立てることで、将来的には自分の人生の自由度をある程度確保することができます。もちろん、今の職場に満足していて、その積み立てたお金を使わないということでも一向にかまいません。ただ、自由になる権利を確保しておけば、環境の変化があったときに対応がしやすくなります。

【ゴール②　労働収入の10％から30％を金融収入で積み上げる――40代前半以降】

40代前半以降は、雇用の流動性もさほど高くない状況といえます。したがって、勤めている職場がいろいろな理由から不調に見舞われ、収入減の可能性が出てきたときには、転職をするよりは別の収入源を見つけて補うことを考える方が現実的です。

私がお勧めするのは、労働収入の10％から30％分ぐらいを投資収入として得られる程度に金融資産で積み上げることです。例えば、サラリー年収が６００万円の人でしたら、サラリー収入とは別に、年間１２０万円くらいの金融リターンを得るということです。

年間１２０万円の金融収入を得ようとした場合、利回りを４％（税引後）とすると、必要なリスク資産の元本の金額は３０００万円です。50歳のときに３０００万円貯めるためには、同じく利回りを４％（税引後）とすると、22歳のときから年に56・６万ずつ貯めればよく、そこから月々10万円ずつのリターンが生まれることになります。

さらに、そのリターンをそのまま使わずに再投資し、かつ、年56・６万円の積み立ても継続していれば、60歳の定年のときには５１２０万円の資産ができることになります。５１２０万円あれば、税引後年利４％のリターンとしても、月々の金融による収入が17万円を超えます。

少しスタートが遅れて35歳から始めたとして、55歳のときに同じく３０００万円貯めるためには、年に67・７万円とややハードルは上がりますが、それでも無理な金額ではありません。

前述の例では、保守的に税引後の年利回りを4％に設定しましたが、例えばこれを6％などに設定すると、さらに金融資産も、金融収入も大きくなるわけです。

月々3万～5万円のお金を家計の中から投資に回すことは、家計の節約の工夫次第では十分に可能な金額だと思います。そして、分散投資を心がけていさえすれば、一般に恐れられているような「お金を一気になくすのではないか」「資産が半額になってしまうのではないか」ということは杞憂だということが分かってもらえると思います。

ステップ③　証券会社に口座を開く

だいたいの予算とゴールのイメージができましたら、次は証券会社に口座を開きます。

幸いなことに、ここ数年はインターネットが大きく発展して、店頭に行かなくてもインターネットを通じて簡単に口座を作ることができるようになりました。インターネット証券の会社はいろいろありますが、私たちはデイ・トレーダーのように頻繁に売買するわけではないので、これから説明する投資信託の種類が豊富な証券会社を選ぶことをお勧めします。

特に、投資信託の中でも月々積み立てるタイプや、ノーロード型といわれる、投資信託購入時に手数料がかからないタイプの投資信託の品揃えが豊富な証券会社がお勧めです。

もっとも、最近はどのオンライン証券会社も投資信託の品を揃えることにはとても熱心で、ある程度の大手でしたら品揃えに不足することはないでしょう。最近は銀行や郵便局でも投資信託を取り扱っていますが、証券会社に比べると種類が限られ、また手数料もやや割高になっています。

また、各証券会社は初心者向けの勉強会を行っていたり、ウェブサイトの中でもいろいろな商品やサービスについて、細かい説明のページを設けていますので、そういったサービスもどんどん活用してください。

ただし、唯一の注意点は、証券会社は顧客になるべく取引を行わせることで収入が上がるので、その点を見きわめなければならないことです。証券会社のいろいろなサービス、例えば自動売買プログラム（自分であらかじめ株などについて売買の条件を決めておいて、システムが自動的に受発注を行うプログラム）や、取引回数を多くするほど手数料が割安になるシステムなどは、知らず知らずに必要もない取引を誘発する恐れがあります。

ステップ④　インデックス型の投資信託の積み立て投資を始める

証券会社に口座を開いたら、まずは投資信託にチャレンジしてみましょう。個別の株式や債券を買うことも可能ですが、分散投資が必要であり、月々3万～5万円程度であれば、投資信託以外の方法で分散投資を行うことは非現実的なため、個人が少額でリスク資産への投資を始めるときには、投資信託で行うのが王道です。

逆に最も危険なパターンは、30万～50万円分くらいの予算を使って、自分で株を選んで投資をしたり、デイ・トレードをしたりするケースです。これは、プロの鉄火場に素人がお札を持ってノコノコと訪れるようなものですから、高い確率でその資金を失うことになるでしょう。

月々の投資信託の積み立てサービスはほとんどの証券会社が取り扱っており、その資金も銀行や郵便局などから、月々直接引き落としをすることができます。したがって、定期預金を積み立てる感覚で、リスク資産を積み立てることができます。

とはいえ、投資信託は各証券会社に200種類近くあり、そのうち、月々の積み立てが可能な投資信託も100以上ありますので、種類が多すぎて、何を選んだらいいのか分からないと思います。

初心者にお勧めなのは、次の二つのキーワードが入った投資信託です。

キーワード①「ノーロード」
キーワード②「インデックス投信」

この二つは第2章の投資信託の項目でも述べましたが、改めて見直してみます。

ノーロードというのは、買うときに手数料がかからないという意味です。投資信託によっては、買う時点で1~3%の手数料がかかるものがあります。もちろん、買うときにかからなくても、信託報酬という年間の維持手数料がかかり、ノーロードであれば必ずしも最初の手数料と年間の信託報酬のトータルコストが安いというわけではありませんが、手数料が最初に多額にかかるファンドは往々にして、維持手数料（信託報酬）も高いので、よほど高い運用利回りが見込めない限り割高になってしまうのです。

インデックス投信というのは、一定の指数、例えば日経平均とか、TOPIXを基準にして投資を行い、専用のアナリストやファンド・マネージャーを置かない投資信託を指します。インデックス投信の特徴は、運用成績自体は決してトップになることはありませんが、ほぼ一貫して投資信託の平均的なリターンは上回ることができるほか、アナリストやファンド・マネージャーの人件費もかからないため、信託報酬が安いことです。

リスク資産は、年間、非リスク資産に比べてだいたい3～7％のプレミアムがつきますが、そのときに投資信託を運用している会社に信託報酬として3％を払うのか、0・5％で済むのかでは、手取りのリターンが大きく変わってきます。

とはいえ、ノーロードのインデックス投信だけでも、各オンライン証券が10～20種類くらいそろえていますので、ここでも迷ってしまうと思います。私がお勧めするのは、次のインデックス・ファンドに4分の1ずつ投資することです。

①　TOPIXまたは日経平均など、日本株式のインデックス・ファンド
②　日本債券のインデックス・ファンド
③　海外株式へのインデックス・ファンド
④　海外債券へのインデックス・ファンド

例えば、月々4万円積み立てる予算があったとしたら、それぞれに1万円ずつ投資を行っ

ていきます。このときに特に注意が必要なのは、②の投資信託を扱っている証券会社は数が限られていることです（２００７年10月現在、オンラインで申し込みが可能なのはフィデリティ証券など）。また、①の日本株式へのインデックス・ファンドはとても種類が多いため、信託報酬の手数料と、トラッキング・エラーといわれる、インデックスにどれだけ忠実に従ったかというエラー率が少ない投信を選びます。

③や④の海外株式・債券へのインデックス・ファンドの種類はそれほどありませんが、多くの証券会社では一つは取り扱っていることが多いようです。

また、すべての投資信託は、目論見書といわれる商品の説明書がついていますので、投資の前には必ず目を通してください。ただ、今の段階では、読んでもよく分からないことがいろいろ書いてあると思いますので、とりあえず「慣れる」ことに専念するのが大事だと思います。

さらに、投信は１万円単位でしか積み立てられないため、４の倍数でない場合にどこの積み立てを厚くするかということに迷うと思いますが、その場合には海外のいずれか、日本のいずれか、という順で額を増やしていってください。例えば、６万円であれば、４万円は均等に、残りの２万円は、１万円を③か④のどちらかに、１万円を①か②のどちらかに入れるということです。

債券と株式、どちらの方が、今後リターンがよくなるかということについては一概にはいえません。歴史的に見て、過去20年くらいは株式のリターンが債券のリターンを上回ってきたため、逆に債券の方が株式よりもリターンが高くなることが統計上は考えられます。ただ、分からないときには、ほぼ同額を分散するのが一番リスクの少ない方法になります。

ステップ⑤　数カ月から半年、「ながら勉強」で基礎を固める

月々4万円ずつ投資信託を積み立ててくると、それがどのくらい値上がりするのか、値下がりするのか、基準価格を見ることでイメージがつかめてくると思います。また、特に大事なのは、投資した金額が値上がりしたり、値下がりしたりすることはあるけれども、それに一喜一憂しないことです。原則としては、コツコツと増えていくというイメージを体感することです。また、買った投信について運用レポートが週次や月次で更新されますので、これもザッとでいいので目を通すことをお勧めします。

「投信は手数料が高いので買いたくない」という人の話は何度も述べてきましたが、ノーロードのインデックス投信であれば、年間の手数料はせいぜい0・6％くらいです。例えば、

毎月4万円、年間で48万円投資したとすれば、48万×0・006＝2880円にしかなりません。自分で株を買おうと思って『会社四季報』を1冊買えば、1800円程度かかります。もしこれを四半期ごとに買ったら、あっという間に7000円を超えます。

年間3000円弱でプロが雇え、そのプロが定期的に自分にレポートを送ってくれ、それを基に勉強できると思えば、投資信託は決して手数料が高いとはいえないと思います。また、この間に、投資でだんだんとリターンが増えるのだということが体感できれば、投資についてもっと学びたいという意欲が出てくると思います。

そのようなときは、次の本を読んで、投資信託についてより詳しく勉強してみてください。

『10万円から始める投資信託入門　初心者のための買い方・売り方ガイド』

（稲葉精三、日本経済新聞社、2004年）

また、本を買わなくても、ウェブにさまざまな情報が載っています。例えば、日本証券業協会の証券教育広報センターのサイトにある「投資信託の基礎」（http://www.skkc.jp/trust/index.html）や、「もっと知りたい！・Q＆A投資信託」（http://www.skkc.jp/qa/trust/index.

html）などのページで丁寧にまとめられています。

そして、インデックス投信がなぜ効率がいいのかということについては、次の本を読むと、その理論的な背景についても理解できると思います。


『ウォール街のランダム・ウォーカー　株式投資の不滅の真理』

（バートン マルキール、日本経済新聞出版社、２００７年）


さらに、この時期に注意したいことが二つあります。その一つは、日本でのリスク投資に関する情報は、日本国内の株式に極端に偏っているという点です。そして、情報が手に入りやすいからという理由だけで自分の資産を日本の株式だけを中心にして運用すると、資産配分の80％から90％があっという間に日本株によって占められるということになります。

しかし、これはリスク管理上、きわめて危険なことになります。なぜなら、日本は少子化などの影響から、今後、世界に比べて成長率が高くなることは望めないため、投資対象先としての日本株も魅力があるとはいい難いからです。

また、分散投資をしていないと、２００７年8月のサブプライム問題による大幅な日本株の調整時期などにおいて、外国株や外国債券をバランスよく買ったときに比べて、より一方方向に下落しがちになります。つまり、取っているリスクに見合わないのです。したがって、分散投資の観点から、海外の資産でも、株だけでなく債券にもしっかりと注目してください。

二つめは、『あなたも30万円を1億に増やせる』といった類《たぐい》の本やメルマガ、講座にだまされないという点です。こういうものに一番だまされやすいのは、まったくの素人ではなく、少し分かり始めた素人です。

投資信託で順調に資産が伸びてくると、ほかのことをすればもっと伸びるのではないかという幻想を抱き、よりリスクの高いものに手を伸ばしたり、中途半端なノウハウに手を出してしまう恐れがあります。そうしたときは、本書で一貫して主張してきた「タダ飯はない」という言葉を思い出して、だまされないように注意してください。うまくいっている人がいても、それはあくまで「じゃんけん理論」の勝者なのです。

いずれにせよ、投資信託を持っていると、自動的に日本経済や世界経済、金融のしくみなどへの興味が出てきますので、その興味をうまく生かして、新聞や書籍、ウェブ（もちろん、これらに載っている情報もきちんと見きわめなければなりませんが）などの情報をうまく身につけてください。

ステップ⑥ ボーナスが入ったら、アクティブ型の投資信託にチャレンジ

インデックス型の投資信託は、リスクが小さいというところに利点があるのですが、その分、つまらないと感じるかもしれません。そこで、投資信託を始めてから、初めてのボーナスが入ったとします。そうしたとき、もし手元によりリスクを取れる金額があったとしたら、試しに10万〜20万円くらい、少しリスクの高い投資信託（アクティブ投信と呼びます）にチャレンジしてみましょう。

リスクが高い投資信託とは、インデックスに比べ、よりハイリスク・ハイリターン型のものです。例えば、２００５〜２００６年にかけて大きく値上がりした、ＲＥＩＴ（不動産投資信託）やグロソブ投信、ＢＲＩＣｓ投信などがあります。

もし、地球温暖化に興味がある人でしたら、エコ・ファンドを買ってみてもいいでしょう。資産の中に不動産の割合を増やしたければＲＥＩＴを買う、コモディティ（商品）に興味があれば商品ファンドを買う、新興国投資に興味があれば、ＢＲＩＣｓ投信や南米諸国投信を買ってみてもいいでしょう。

毎日同じ定食ばかり食べていればだんだん飽きてくるのと同じように、リスクの少ない商

品に投資していると、徐々に投資に対するワクワク感が薄れてきます。せっかく、投信そのものには慣れてきたのですから、自分でいろいろと経済動向を調べ、あるいは興味のあるものに絞り、自分のセンスに合った投信を思い切って買ってみるのです。

ただ、このときにも、ステップ④で説明した4分割の発想は忘れず、例えば全金額をＢＲＩＣｓ投信にする、全金額を中国株に投資するといったことはやめてください。海外株式に投資をしていいのは、あくまで総予算の4分の1程度までです。

また、リスクの高い商品は値動きも激しいので、少し下がったからといってアタフタせず、すぐに解約しないことにも注意してください。

ステップ⑦　リスクマネジメントを学ぶ

インデックス投信を分散投資で行っていれば、資産全体が大きく値下がりする、例えば月に10％も下がってしまったということはほとんどないはずです。しかしアクティブ投信を始めるなど、だんだんと投資金額が大きくなってきますと、リスクマネジメントをしていく必要があります。

一番簡単なリスクマネジメントは「分散投資」と「ドルコスト平均法」です。最初の分散投資は、繰り返しになりますが、自分の持っている資産を特定の株式や債券だけに集中させず、なるべくたくさんの資産に分散をして投資をすることで、リスクを最小化しつつ、リターンを上げる方法です。

次のドルコスト平均法は、毎回、同金額を投資することで、値が高い時期には少しの債券・株式を、値が低い時期にはよりたくさんの債券や株式を自動的に買えるようにする手法です。

例えば、毎月TOPIX投信を2万円ずつ買っているとします。ある月は株価が大きく上がったあとで、基準価格が8000円でした。この場合には、2万5000口のTOPIX投信が買えます。その次の月は、大きく下がって7000円でした。そうすると、2万8571口の投信が買えます。

ここで、2カ月間の投信の1万口当たりの投信の平均値を計算すると、毎月同じ額を買っているので、直感的には7500円になりそうですが、実際には安いときに多く買って高いときには少なく買うので、7467円にしかならないのです。たかだか33円の違いでしかないと思うでしょうが、パーセントにすると0・4%安く買ったことになり、これが積み重なると決して小さい数字とはいえなくなります。

インデックス投信を月々の定額積み立てで4分割しながら投資する方法は、この二つのリスクマネジメントを自動的に満たすため、個人レベルであれば、あまり深く考える必要はありません。1万円ずつ、外国株、外国債券、日本株、日本債券の投資信託を淡々と買っていけばいいのです。

ただし、ステップ⑥でアクティブ投資を行っていたり、今後、投信以外の商品も買っていくことを考えますと、分散投資とドルコスト平均法以外のリスクマネジメントの基本も押さえておくことは重要です。

ステップ④では4分割法を勧めましたが、もし、リスクをより取ってもいいからリターンを高くしたいということであれば、海外資産を増やすこと、株式資産を増やすことが必要になります。極端な話、「新興国の株式投資100%」というようなポートフォリオを作ってもいいわけです。

ただ、リスクが高いというのは、リターンのばらつきが大きいという意味でもあります。したがって、そのようなポートフォリオを作ると、ジェットコースターのような値動きに一喜一憂しなければならないため、精神衛生上の観点からもあまりお勧めできません。

リスクを計量するにはさまざまな手法がありますが、一般的にはシャープレシオと呼ばれる手法が代表的です。

シャープレシオ＝(その資産のリターン－リスクフリーレート)÷その資産の標準偏差

例えば、1日に1％の標準偏差がある資産（1日の変動幅がプラスマイナス1％以内である日がおおむね1Σ、すなわち、68・3％となる資産）の場合、1年の標準偏差は休日・祭日を除くと、およそ15・9％の年間の標準偏差になります。この資産の年間リターンが7％、リスクフリーレートが1・5％だとすると、この資産のシャープレシオは、

(7％－1.5％)÷15.9％＝0.346

となります。シャープレシオは高いほどリスクリターンがよく、シャープレシオが1を超える資産は、そこそこ優秀なイメージです。

個人でシャープレシオを計算するのは面倒な作業ですが、モーニングスターなどの投資信託評価会社が各ファンドのシャープレシオを計算していますので、こういった指標を定期的

にチェックして、必要に応じて投資する投信を入れ替えたり、あるいは株式と債券、国内と国外の投資比率を変えてみてください。

実際、最近は日本国内の株や債券のシャープレシオよりも、海外のシャープレシオの方が高いため、外債投資や外国株投資が活発になりつつあります。シャープレシオという観点から、バランスをうまくとってリスクを管理する習慣をつけてみてください。

ステップ⑧ リターンが安定したら、投資信託以外の商品にチャレンジ

ステップ⑦が終わる頃は、投資を始めてから半年以上たって、投信にはほぼ慣れた頃だと思います。個人資産を形成する際に、100%投信で行ってもまったくかまわないのですが、投信は「自分で何かを運用している」という達成感があまりないため、投資に対する意識が薄くなりがちです。

そのため、投信以外の商品にチャレンジしてみることも次のステップとしてお勧めします。例えば、TOPIXに連動する商品は投資信託もありますが、ETFといわれる、株式市場に上場している株式指数もあります。こちらの方がTOPIX連動型の一般の投信よりもさらに信託報酬が安いため、純粋に日本株式をポートフォリオに入れるという目的であれば、

投信よりも指数連動型のETFの方がリターンは高くなります。

また、外国債券インデックス投信の代替商品としては、外貨預金や外国為替証拠金取引（FX）があります。例えば、東京金融先物取引所で取り扱っている「くりっく365」という為替証拠金取引は手数料も安く、通貨同士の金利差についてもしっかりと利息がつくしくみになっているため、投信よりも小回りが利く設定になっています。

外貨やFXについては、詳しく説明するとこれだけで1冊分になってしまいますので、詳しくは次の本などを参照ください。

『知っておきたい外貨・FXの常識』（大竹のり子、西東社、2007年）

また、投資に詳しくなってマネー誌や一般の指南書を読むと、その70～80％は日本株の話に偏っているため、日本株式の銘柄を自分で選んで投資してみたいという欲求も出てくるでしょう。日本株はシャープレシオもあまりよくないため、強くはお勧めできないのですが、知的興味からやってみたいということであれば、予算の一部（例えば金融資産額の10％など）を割り当てて行ってみてもいいかもしれません。

ここで気をつけたいのは、ＥＴＦもＦＸも、比較的投資単位が大きく、少しの値動きが大きく損益に響くため、いくらまでの投資をするのか、どのくらいまでなら損失を許容できるのか、どこで損切りすればいいのか、などについてあらかじめ明確にルールを決めておいた方がいいということです。

せっかく投信側でせっせと資産を増やしてきたのに、その他の側でリスクを取りすぎて資産を大きく減らしてしまっては意味がないので注意してください。

ステップ⑨ 応用的な勉強に少しずつチャレンジ

ステップ⑧まで実行してくると、金融そのものについての興味がいろいろ出てくると思います。さまざまな金融の理論や考え方について、空いた時間にコツコツと、少しずつでもいいのでチャレンジし、より深い理解が得られるよう努力してみてください。

これは、英語が話せるようになると英語をどんどん使ってみたくなるのと同じように、金融の知識がついてくれば、金融に関する本を次々と読みたくなると思いますし、また、金融投資についてもより積極的になってくると思います。金融の場合、投資をして、感情を日々コントロールしながらリスクとリターンを管理していくことが勉強になります。金融リテラシーは、いかに投資を行ったか、いかにそこから勉強しているか、そして、いかに投資以外の部分でどのくらい正しい知識を身につけているか、ということが鍵になると思います。

参考までに、投資に関する代表的な名著をいくつかあげておきますので、興味のありそうなものがありましたら、ひもといてみてください。

『リスク　神々への反逆（上・下）』
（ピーター・バーンスタイン、日経ビジネス人文庫、２００１年）

『株式投資の未来』
（ジェレミー・シーゲル、日経ＢＰ社、２００５年）

『敗者のゲーム』
（チャールズ・エリス、日本経済新聞社、２００３年）

『〈新〉賢明なる投資家（上・下）』
（ベンジャミン・グレアム、パンローリング、２００５年）

『投資の科学』
（マイケル・Ｊ・モーブッシン、日経ＢＰ社、２００７年）

『ソロスの錬金術』
（ジョージ・ソロス、総合法令出版、１９９６年）
『根拠なき熱狂』
（ロバート・J・シラー、ダイヤモンド社、２００１年）
『行動ファイナンス』
（ヨアヒム・ゴールドベルグ、リュディガー・フォン・ニーチュ、ダイヤモンド社、２００２年）
『ジム・クレイマーの株式投資大作戦』
（ジム・クレイマー、日本経済新聞出版社、２００６年）
『投資４つの黄金則』
（ウィリアム・バーンスタイン、ソフトバンククリエイティブ、２００３年）

ステップ⑩　金融資産構成のリバランスの習慣をつける

最後のステップです。ここまでくると、投資のしかたもだいたい分かり、リスクとリターンの関係も日々の勉強で把握をし、投資をすることに対してリスクを上手にコントロールできるようになってきていると思います。

仕上げは「資産のリバランス」です。リバランスは1～2年に1回程度、行ってください。リバランスとは、投資した資産の入れ替えを意味します。例えば、資産を日本の株式、日本の債券、海外の株式、海外の債券に4分割している場合、最初に投資した金額は同じでも、それぞれの運用成績が違うため、1年後には成績がよかった資産の金額が大きくなっていると思います。

そして、ここがポイントになるのですが、統計的に見れば、ある時期によいリターンを生んだ資産は翌年のリターンが悪くなり、悪いリターンを生んだ資産は次の時期にはよくなる可能性が高いことです。そのため、もし海外株式がすごく値上がりをし、それによって資産の35%を占めたとき、これを25%相当になるまでその比率を落として売却し、その売却した金額を、今度は運用成績の悪かった資産、例えば日本株式などに割り当てるのです。

投資の原則は、「安く買って高く売る」ことですが、人間の心理状況からいえば、値上がりしてきている資産は「利喰い」（値上がりした株を売り、または値下がりした株を買い戻して差額を儲けること）するどころか、もっともっと買いたくなりますし、値下がりしてきた資産は怖くなって売り払いたくなるでしょう。

しかし、投資信託による分散投資のように、リスクがある程度適切に管理されている場合には、値上がりしたものは機械的に減らし、その分を値下がりしたものに回した方が、リターンが安定する傾向にあります。このようなリバランスを考慮しますと、やはり投資信託はノーロード型が好ましいわけです。

$

投資や資産運用は、これまで泳げなかった人がいきなりプールに入って華麗に泳げるのではないのと同様に、ある程度の知識と慣れ、それに経験が必要です。しかし、プールに入ったことがない人はプールで泳ぐことそのものを怖がりますが、いったん慣れてしまえば自由に泳げるようになるのと同様、金融も「こうやって動かすのだ」という皮膚感覚をつかんでしまえば、あとはとても楽しくなると思います。

ただ、残念ながら、水泳教室や英会話学校のように金融について学べる講座は少なく、金融に関するさまざまな知識は独学で学んでいかなければならないことがボトルネックになっています。しかし、今回のステップのように、いろいろなことを頭に刻みながら、一つ一つクリアすることで、必ず、金融リテラシーを身につけることができると思います。

投資原資の生み出し方

この章の最後に、月3万～5万円という投資原資をどうやって生み出せばよいのかという方法に触れたいと思います。もちろん、十分な月収があり、余裕資金もたっぷりあるという人にそんな苦労は不要だと思いますが、大半の家計では「月3万～5万円なんて」と思うでしょう。

金融という面から見ると、月々の投資原資の効果的な生み出し方は、次の三つの点の節約により生み出すことが考えられます。

①　**住宅ローンを組まないこと**

金融という観点から見ると、かなり不利な資産です。もし、不動産の値上がり益を享受したいのであれば、賃貸住宅に住みながらＲＥＩＴを買った方が、特定の家屋に高い税金を払って投資をするよりはずっと安全です

②　**（特に都市部の人は）車を買わないこと**

車がないと日常の生活に差し支える地域なら別ですが、例えば東京や大阪など、大都市近辺に住んでいるのであれば、車を持つことをやめれば、駐車場代金と車の償

却費で、あっという間に月に3万〜5万くらいの金額は確保できます。どうしても車が必要なときには、レンタカーまたはタクシーの利用で十分です

③ 生命保険を定期逓減型にすること

生命保険も一種の金融商品ですが、死差益や投信よりもずっと高い事務手数料などの問題があり、金融商品単体としてはあまり効率のいい投資とはいい難くなっています。したがって、逓減型の定期保険で死亡・疾患リスクについては補った上で、投資は別に行っていきます

特に、住宅や車は、人間の欲が、私たちを非合理的な価格での購入に導きがちです。しかし、これらの非合理的な欲求に費やす同じ金額をより少なくして、合理的な楽しい金融の世界に投資することで、適切なリターンを得て、より自分の人生の自由度が広がっていくのだということに気づけば、必ずしも我慢をしているという感覚はなくなると思います。投資の結果、生活により余裕ができて、より気持ちよく過ごせるのであれば、住宅や車の保有以上の効用を私たちにもたらすことができると思います。

最後の注意点ですが、①〜③で節約したお金は、必ず、月々天引きにして自動的に積み立

てるようにすることです。なぜなら、行動ファイナンスでいう「メンタル・アカウント（心理的勘定）」という概念では、人間は目の前で見たお金と、目の前から隠されたお金については違った行動を取るためです。

具体的に述べますと、人間は、目の前でいったん「生」のお金を見てしまうと、自分の将来のために投資信託を買おうと思っていても、さまざまな言い訳から、そのお金をなかなか投資信託のために振り込もうとせず、すぐ何か他のものに使ってしまったり、遊興費に使ってしまう傾向があるのです。

そうすると、せっかく節約した分も、それに応じて普段の生活費が増えて終わり、ということになりかねません。したがって、月々の積み立てサービスを利用して、銀行から給料日のたびに、そのまま右から左へ、投資信託その他の資産に流れてしまうようなしくみを同時に作ることを強く推奨します。

第4章　金融を通じた社会責任の遂行

資本主義の二つのほころび

現在、私たちは資本主義社会に生きていますが、この最終章では、今、資本主義社会がどのような限界を抱えていて、私たちが金融リテラシーを身につけることで何が変わるのかを考えていきたいと思います。

ここに、『セイヴィング キャピタリズム』（ラグラム・ラジャン、ルイジ・ジンガレス、慶應義塾大学出版会、２００６年）という資本主義の限界について述べた興味深い本があります。この本の英語の題名は『Saving Capitalism from the Capitalists』、すなわち「資本主義を資本家から救え」という意味です。これは何を意味しているのでしょうか。

この本では、社会が単純に市場原理だけを追求していくと、大きく分けて次の二つの問題が生じることを述べています。

① 国家間や個人間において、「やる気」に応じた資源配分が必ずしもうまくいかない
② 社会的に正しくない行いがあったとしても、利益が出るものについては投資され、その結果として地球温暖化や環境汚染などを招く

①は、資本主義というシステムは、市場原理に任せたままでいると、例えばアメリカはいつまでも栄え、バングラデシュやスーダン、ソマリアなどといった貧困にあえぐ国はいつまでも貧困にあえぐ、という構造が変わらないということです。さらに、こうした国家間の格差だけでなく、同じ国の中でも階級格差が広がることも指します。

実際、国家間の貧富の差は大きく拡大しつつあります。例えば、バングラデシュは、２００５年の１人あたりのＧＤＰは４０７ドルです（出所：IMF Report for Selected Countries and Subjects)。一方、アメリカは４万１９１６ドル、日本は3万７５５６ドルです。

この数字だけを見て、アメリカ人や日本人は、バングラデシュ人よりも１００倍も稼いでいるといえるのでしょうか。人間の能力差にそれほどの開きがないことを考えると、こうしたことが現実として起こっているのはなぜなのでしょうか。また、こうした格差は縮めることは可能なのでしょうか。

一方、各国の中での貧富の差を見てみましょう。図26（２０１ページ）は「ジニ係数」と呼ばれる、同じ国の中の所得配分がどのくらい公平に行われているかを表す指数です。最も公平でないときに1、公平なときに0となります。また、一つの国において、少なくとも0・3を超えないことが望ましいとされています。この図から、ほとんどの国においてここ

20年の間に貧富の差が確実に開いていることが分かります。

日本国内においても格差は広がり、所得階層が定着化しつつあることが指摘されているのは周知の通りです。そのため、どの所得階層の家庭に生まれたかによって、どの教育を受けられるかという機会が決まり、それがさらに格差を定着させてしまうという報告もなされています（『階層化日本と教育危機——不平等再生産から意欲格差社会（インセンティブ・ディバイド）へ』（苅谷剛彦、有信堂高文社、２００1年）。

つまり、私たちは、身分があらかじめ確定された封建時代に生まれたわけでもないのに、本人の能力ややる気によってキャリアアップできるような社会構造ではなく、生まれた環境によって階層が決定されてしまうような構造になってきてしまっているということなのです。
②は、資本主義社会で「是」とされている生産性を追求すればするほど、法的な整備がまだ不十分な発展途上の国々——例えば中国のように——で利益を追求するあまり、品質表示の虚偽記載といった企業の不祥事など、不誠実な経営を行う経営者が出てくることを示しています。最近起きた例としては、人体に有害な薬品を含んだ食品や、歯磨き粉などの衛生用品が中国から世界中に流通し、消費者の不安を招く事態となりました。そして、こうした国々の工業化が進めば進むほど、環境破壊による公害もその激しさを増してきます。

図26　等価可処分所得のジニ係数の比較

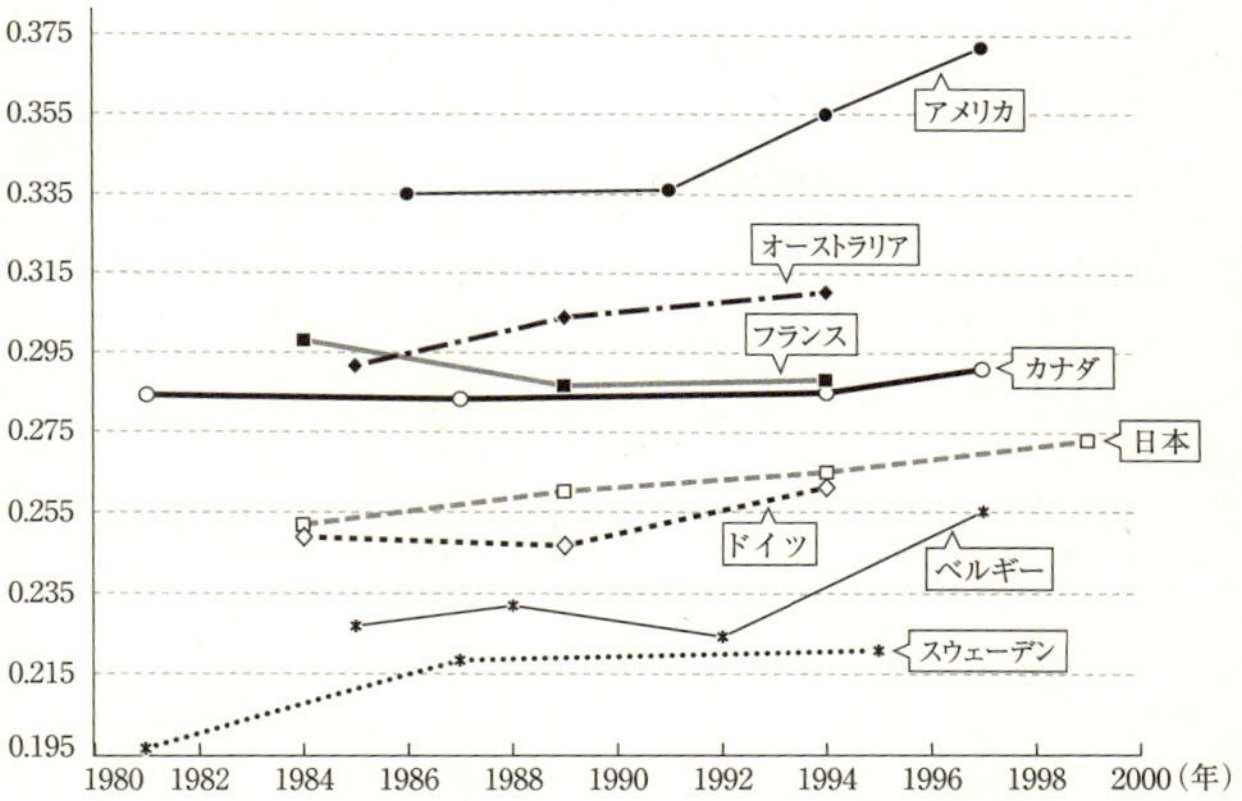

出所：総務省全国消費実態調査（2002年）

こうした①と②の例のような、資本主義が引き起こす貧富の差の拡大や公害などの諸問題に対し、これまで各国政府は何の対策もしてこなかったわけではありません。

実際、税金、規制、補助金、罰則など、さまざまな国の施策で、貧富の格差の拡大をいかに適切に防ぎ、すべての人が安心して暮らせるようセーフティ・ネットを用意するかということが大きなテーマの一つとしてこれまで検討されてきました。しかし、こうした政策努力があるにもかかわらず、解決の糸口は見つかっていません。

これらの問題は、資本主義社会が根本的、内在的に抱える課題です。つまり、市場に任せ、純粋に経済性だけを追求していくと、所得格差や企業による不祥事の拡大、さらには環境破壊を招き、それを防ぐのは困難な状態になるのです。

「小さな政府」路線の結果

20世紀の資本主義vs.社会主義のイデオロギー論争は、一見、資本主義側が勝利を収めたように見えます。これは、資本主義が社会主義より、社会における生産性の向上や個人における動機づけにおいて、よりよい（あるいはよりマシな）しくみであったためと考えられます。しかし、先にあげた例からも分かるように、今日においては資本主義社会のほころびが徐々に見え始めていますが、それはなぜなのでしょうか。ここから、日本を中心に、その理由を見ていきたいと思います。

高度経済成長期の日本は、政府が個人間の所得その他の不公平をなるべくなくすために累進課税を強く設定していました。つまり、働いてたくさん稼いだとしても、所得税率がだんだん高くなるということです。ちなみに、１９７４年までは最高税率がなんと75％、１９８７年においても最高税率は60％でした（現在の最高税率は40％）。すなわち、政府は収入の高い人からは税金でどんどん徴収する一方、収入の低い人には税金をあまりかけないことで所得の再配分を行ってきたのです。

　また、政府は、都市部に集まりがちな雇用についても、公共投資や補助金、税制優遇といった形で地方を支援し、地方の雇用を守ってきました。したがって、都市と地方の格差もあまり広がらないように配慮されていました。こうした当時の施策については、これは資本主義ではなく社会主義に近い施策であったと指摘する識者も少なくありません。

　ところが、このような累進課税や地方振興などの再配分施策は、日本全体として考えると、経済の生産性を低める逆効果を持っていました。なぜなら、より多く働いて収入を上げたとしても、その大半が税金として持っていかれてしまうのなら、働く意欲は萎《な》えてしまいます。また、雇用のないところに税金を無理に使って雇用を作ると、不急不要な公共工事などが増え、生産性が鈍るからです。とはいえ、戦後の高度成長と人口増加の中、再配分による少しくらいの低成長効果は吸収することができました。

　しかし、バブル崩壊以降、日本も本格的な低成長時代を迎え、こうした、生産性を下げても所得格差や都市・地方間の格差をなくそうという贅沢な施策は許されない状況になりました。なぜなら、そうした施策を取ってしまうと、日本全体がマイナス成長になりかねなくなったからです。

政府が国内の再分配に大きく関与する施策を選択する場合、それを「大きな政府」、再配分になるべく関わらないようにする施策を「小さな政府」と呼びます。日本は、1972年の田中角栄政権発足を契機に「大きな政府」を選択してきたのですが、膨大に膨れあがる財政赤字を緩和するために、特に、1996年の橋本龍太郎政権発足前後から、財政支出を抑えて民間を活用するという「小さな政府」に転換し、その路線を加速させてきました。

このような施策の具体化が、1997年、橋本政権下での所得税とセットになった消費税の増税（3％から5％へ引き上げられました）、小泉純一郎政権下での郵政民営化、そして「三位一体改革」（国と地方公共団体に関する行財政システムの改革＝一、国庫補助負担金の廃止・縮減。二、税財源の移譲。三、地方交付税の一体的な見直し）なのです。

こうした施策により、まだら模様ではあるものの、日本全体としては効率が上がり、バブルの不良債権問題も最悪期を脱し、失業率も改善し、2007年のGDPの成長率も年2％台で安定してきました。

ここ20年あまりは、日本だけに限らず、アメリカやイギリスなどを中心に、多くの先進諸国が経済成長を目指してこのような「小さな政府」路線を取り、資本主義により多くの役割を持たせようとしています。しかし、このことは同時に、貧富の差が広がりやすい傾向を持つことを意味します。

実際、日本では、持つ者と持たない者、いわゆる〝勝ち組―負け組〟間の格差が広がり、また、都市部と地方部の景気回復のスピードにも差があることが明らかになっています。

また、こうした貧富の差が広がりつつあるのは個人ばかりでなく、企業も同じです。最近、企業によって起こる度重なる不祥事は、外部との競争がより進む環境の中、これまでのような生産性を追求するだけでは生き残れなくなってきた企業が、合法的な範囲内での合理化対策では手に負えなくなり、生き残りの手段として違法なものにまで手を染めた結果ではないかと私は考えています。

「牛肉コロッケ」として売り出されていた商品の原料に、牛肉と偽った豚肉が使用されていたことで問題となった北海道のミートホープ社による食品の不正表示、大量の不良在庫を抱え、業績が悪化していた子会社を連結決算の対象から外すといった方法によって虚偽記載をしたカネボウ、過密ダイヤや運転士に対する懲罰的な日勤教育や懲戒処分が背景にあった、乗客106名・運転士1名の死者を出したJR福知山線の列車脱線事故などは記憶に新しいところです。海外では、ナイキがベトナムの下請け工場で就労年齢に達していない少年を労働させ、倫理上の問題になりました。

また、期限切れの原料を使って食品を製造していた不二家、チョコレート菓子「白い恋人」の賞味期限を改竄《かいざん》して販売していたことが発覚した北海道の菓子メーカー・石屋製菓、売れ残った商品を再出荷して問題となった、老舗《しにせ》和菓子メーカー・赤福などの例もあります。

さらに、不正会計の事例では、海外ではエンロンやワールドコム、日本ではライブドアや日興コーディアルグループ、ミサワホーム九州でも事件が発覚しました。

金融リテラシーがないと、自分の身を守れなくなってきた

また、資本主義という観点から見て、現在の日本では、こうした個人間の格差や企業の不祥事とは別に、年金制度も大きな関心を集めています。これまで、資本主義は資本家と労働者が別個であり、対立する関係として考えられてきました。ところが、近年の資本主義の特徴は、資本の提供者が従来の資本家から、徐々に労働者が供出する年金に移り変わってきたことです。すなわち、私たち労働者は、年金資産が大きくなってきたことで資本家にもなっているのです。そして、これらの年金は賦課《ふか》方式といわれる、世代間の所得移転のほか、社会資本の増強にも使われてきました。

とはいえ、これまで私たちは、自分たちの年金の使い道について、まったく把握をしてき

ませんでしたし、興味も持ってきませんでした。その結果として、自分たちの積み立てた大事な金融資産であるはずの年金がどのように使われていて、どのように記録されていたのか、把握しないままできたのです。

その歪《ゆが》みが大きく噴出したのが、２００７年７月に行われた参議院選挙で争点となった年金問題でした。この選挙では、景気回復下にもかかわらず自民党が大敗したのは、景気回復を優先させたことで所得格差が広がり、有権者の反発を招いたこととともに、年金についてもずさんな管理をしていたことが国民の目に明らかになってしまったことの結果ともいえます。

私たちはこれまで、政治・経済の動きと金融の動きは別個のものであり、実体経済がよくなれば、金融政策は後からついてくるというのが支配的な考え方ではなかったかと思います。そのため、私たちは、私たちにとって最大の金融の一つである年金制度について、この制度がこのままの状況では成り立たないと分かっていても、それほど気にすることはありませんでした。しかし、管理状況がこれほどまでに悪いということが初めて発覚し、危機感が増大したのです。

現在の年金制度問題は、政府側も、国民側も、その問題をきちんと考えず、論点を先送りさせてきたことによって起こったものといえるでしょう。そして、公的な年金だけでは、私たちの老後の生活費用は補えないことも明らかになってきました。

つまり、私たちは、資本主義との関わりにおいて、これまでのような受け身的な姿勢でいると、老後に受け取る年金は乏しくなる上、これまで述べてきたように所得格差も開いていく一方になる事態を招くことになりかねないのです。

なぜなら、これまでの金融資産のあり方——蓄財のために住宅をローンで買う、若死にするリスクに対しては生命保険でカバーする、老後は公的年金でカバーする——といったようなモデルでは、もう自分を守りきれなくなるからです。

もし、私たちがこれまでのように受け身になったままでいると、政府も資本主義も以前のように私たちを守ってくれなくなってしまった現在、自分たちだけでなく自分たちの子孫までもが格差に苦しむ可能性が出てきました。

それを補うためには、自分で積極的に資産運用やリスクマネジメントを行っていくことが必須となります。そのためには、これまで繰り返し説明してきた金融リテラシーを身につけることが不可欠となるのです。

社会責任投資の発展

ここで私が明言したいのは、「金融には、政治と同じように社会を変えうる力がある」ということです。つまり、金融は、ただ単に自分の身を守るための運用や蓄財という視点だけではなく、自分の意思を積極的に表していくことが可能なものであるということです。私たちが選挙で政治家を選ぶ際に投票を行っていくように、一定の意思を持って投資先を選ぶことで積極的に資本主義と関わっていくことができるのです。

具体的な例をあげます。ここ数年、特に欧米で大きく伸びている投資の考え方に「社会責任投資（Socially Responsible Investment、略称ＳＲＩ）」というものがあります。

社会責任投資とは、単に財務諸表やビジネス状態を分析し、経済的に儲かるのか否かといった、経済状態やリターンだけに注目せずに、その企業が社会的責任（Corporate Social Responsibility、略称ＣＳＲ）を十分に果たしているのかどうかを考慮した投資のことです。つまり、自分たちの運用資産の対象を、単に財務的なデータだけを見て、株価や配当利回りの期待値だけで選ぶのではなく、投資先である企業が社会的、道徳的に間違ったことをしていないかどうか、社会がより良い方向へ進むためにどのようなことに貢献しているのかといった、財務以外の要素を金融商品の投資に積極的に取り入れようとするしくみです。

このようなＳＲＩは、１９２０年代、キリスト教などの宗教団体が投資を行う際に、各宗教の教義にそぐわない企業を投資先から排除したことが起源となっています。

社会的責任の評価基準としては、ネガティブなものを排除しようとする「ネガティブ・スクリーニング」と、ポジティブなものを考慮しようとする「ポジティブ・スクリーニング」の二つがあります。

例えば、イギリス初のＳＲＩ投資信託となったFriends Provident Life and Pensionsが運用しているStewardship Trustという投資信託は、次のようなスクリーニングで投資する企業を選択しています。

【ネガティブなものを排除するためのチェックポイント】

- 重大な環境汚染や公害――水質汚濁、森林破壊、オゾン層破壊、化石燃料の大量使用、道路建設や自動車製造など――を発生させる事業
- 不必要な動物の搾取（毛皮取引、収奪的農業）、食肉加工、動物実験を行う化学会社やそうした製品の販売会社
- 軍事政権との取引や国内での事業

- 発展途上国での搾取
- 武器の製造販売
- タバコやアルコール製造
- ギャンブル（ギャンブル設備の製造供給、ギャンブル設備の運営、宝くじ販売）
- ポルノ製品の製造印刷販売
- 不愉快で誤解を招く問題広告を過去2年以内に掲載

【ポジティブなものを評価するためのチェックポイント】

- 生活必需品の供給（食料、水、燃料など）
- 社会に長期的に役立つ高品質製品の提供（ヘルスケア、医薬品、公共交通機関など）
- エネルギーや資源の節約保全への対応（熱帯雨林木材の扱いに関する方針がある、オゾン層破壊物質の製造や使用を行わないなど）
- 環境保全、公害防止
- 顧客、サプライヤーとの有効な関係
- 従業員の重視、従業員教育の充実

・コミュニティとの共生（寄付など）
・雇用の機会均等（女性やマイノリティ）についての高い実績
・情報開示の充実

（『ＳＲＩ社会的責任投資入門』谷本寛治編著、日本経済新聞社、２００３年）

つまり、短期的な利益を生んでいる企業でも、長期的に見れば、人や社会、地球に害を与えるような要素を持った企業には投資せず、短期的な利益につながらなくても、中長期的には社会全体をより充実させる方向性を持った企業に投資するという考え方です。

この考え方は、金融は経済・社会を動かす原動力になるという教育が広範になされてきた欧米で特に広がり、２００７年10月現在、世界全体では３００兆円以上のお金がＳＲＩファンドに集まっています。特にイギリスやオランダでは、広義の意味でのＳＲＩのスクリーニングを含んだ資金が過半に及んでいます。

一方、日本ではＳＲＩファンドの資産残高はまだ小さく、２７４０億円しかありません。これは、私たちの個人資産の運用規模と比較すると、０・01％にも満たない金額です。

日本では、なぜ、特にヨーロッパに比べてＳＲＩの普及が遅れているのでしょうか。私は次の理由が原因ではないかと考えています。

①　金融が社会に影響を与えうるという教育がされてきていない

②　仮に社会の広範にわたって金融教育が行われ、その知識があったとしても、投資先がエコ・ファンドやファミリーフレンド・ファンドのような限定的なテーマ型のファンドやスクリーニングプロセスしかない

しかし、私は今後、金融リテラシーの高まりと共にＳＲＩへの関心もますます広がってくると期待しています。例えば、２００７年6月に明治ドレスナー社が日本でＳＲＩ投信を設定しましたが、そのときに評価項目として入れたものは、次の通りです。

【明治ドレスナーが採用した評価項目】

- 多様な利害関係者の意見を聞き、事業の影響を把握しているか
- 大量消費社会の見直し、消費者の生活の質向上、文化への貢献、社会の安全と安心、ユーザー企業の事業の質向上につながっているか

- 働く人が幸せになるか
- 差別をなくし、不公正を助長しないか
- 地球環境や生態系を破壊しないか
- 地域社会の発展に寄与し、貧困を解消するか
- 企業間関係は共生と公正を実現するか
- 企業の腐敗を防止する手段や体制があるか

（出所：日経金融新聞）

そして、このようなＳＲＩの基準が広まっていき、各ファンドで今後標準的に採用されていくにつれて、ＳＲＩファンドという概念自体がなくなっていくのではないかともいわれています。なぜなら、ＳＲＩファンドでないと資金が集まらなくなり、また、企業側も前記のような基準を満たさないと投資適格外になるため、資本を集められなくなるためです。

日本では、２００７年の終わり頃から２００８年以降がＳＲＩの普及タイミングになりそうです。実際、地球温暖化などにより、環境に配慮した投資信託である環境ファンドの投資残高が増え、年金運用においてもＳＲＩのスクリーニングを課す機関投資家が現れてきました。

このことは、私たちが政治について参政権を持っているように、経済についても投資を通じて参政権を持っていると考えると分かりやすいと思います。すなわち、私たちが預けている1万円というお金をどうやって社会のために使うのかを積極的に考えることで、寄付やボランティア行動をするのと同等か、それ以上の社会への責任を果たしうるのです。そして、私たちが自分たちの将来や健康、子孫、社会への影響などを考えながら投資をすることで、私たちの意思を社会に表すことができるのです。

逆に、定期預金などにお金を預けっぱなしにしておくということは、選挙時に投票に行かないことと同じで、資本主義に対する責任を放棄している、とまでいえるのかもしれません。

幸いにして、SRIファンドは、運用成績が通常のインデックス運用に対して大きく劣ることはなく、それどころかインデックス運用を上回るファンドも出てきているため、投資先としても信頼できるようになってきました。これは、短期的な利益を追求せずに、長期的な視野に立った企業に投資をすることで、企業も株主も、長期安定的な関係を保つことができるためです。

日本では、個人が買えるSRIファンドはまだあまり多くありませんが、今後充実してくると思いますので、社会責任を果たすという観点からも、この投資を考えてみてください。

金融の生涯教育に向けて

日本では、ようやく、政府を含め、投資に対する生涯教育をしなければならないということに意識が向き始め、「貯蓄から投資へ」という流れに向かいつつあります。この流れは、401kの広がりによって、さらに加速していくことでしょう。

しかし、この流れが本当に根づくまでには、私はまだこれから10～20年はかかると思っています。なぜなら、特に中高校生などの若年層に向けた金融教育はイギリスなどとは異なり、まだ本格的には着手されていないためです。

しかし、若年層への金融教育の試みは、民間レベルでは少しずつ始まっています。例えば、早稲田大学ファイナンス研究科、メリルリンチ日本証券、NPO法人・金融知力普及協会が主催する、「キッズ・マーケットキャンプ」という講座があります。この教室には私も講師の一人として参加しています。

この講座は、毎年、春と夏の3日間、小学校5年生、6年生、中学校1年生の児童を30～40人あまり招き、お金の意味、リスクとリターンの関係、証券投資をクラスルームで教える一方、日本銀行や東京証券取引所、ブルームバーグ、三菱東京UFJ銀行を見学します。ちなみに、2007年の夏は7回目の開催となりました。

ここで、その授業内容を見てみましょう。

「キッズ・マーケットキャンプ」

http://www.waseda.jp/wnfs/kids/index.html

【授業内容】

授業①　目標を立てる
授業②　ライフプランを作る
授業③　お金を貯める
授業④　お金を借りる
授業⑤　リスクとリターンを考える
授業⑥　リスクとつきあう
授業⑦　証券投資をしてみよう
授業⑧　将来の仕事を考える

どうでしょう、このカリキュラムを見ると、本書とよく似ていることに気づくのではないでしょうか。このような授業が、どの小学校・中学校でも受けられるようになれば、その児童生徒が社会人になる頃には、本書も不要になっているかもしれません（少なくとも復習用としてなら使われるかもしれません）。

$

日本は、すでに高度経済成長は一段落した成熟した国になっています。そして、このような国はこれまで通りの方法では付加価値をなかなか上げにくくなっています。特に、これまで国際的な競争力を持ち、産業全体の生産性を支えてきた製造業での競争がますます激しいものとなっています。このような状況下で無理に競争しようとしても、物価水準や賃金水準が違うため、労働だけで戦えば、長時間労働・低賃金になるのは当たり前の流れなのです。

そして、日本人が持っていてまだ使っていないスキルが、これまで貯めてきた豊富な個人資産です。このような個人資産をうまく働かせることにより、そのお金を持っているということを強みとして生かした方が有利といえるのではないでしょうか。

つまり、競争のために無理に働くよりは、労働時間を減らし、国外投資を含めた効率的な資本の働き方をさせて、国民全体が豊かになる方向を目指す方が現実的だということです。

そして、そのためにはやはり、若年層から金融教育を始めること、と同時に、社会人でも継続的に金融と関わっていくことが不可欠となるのです。

そのためには、普段の生活の中で金融に触れる機会を持つことが大切になります。例えば、身近なところでは、貨幣の歴史を扱っている貨幣博物館（東京都中央区日本橋、日本銀行分館）や、株式についての展示がある東京証券取引所（東京都中央区日本橋）の見学は随時可能です。土日などの休日や夏休み、冬休みなどを利用して、親子などで訪問してみるのもいいと思います。また、ここに直接訪れなくても、ホームページには大人も子どもも楽しめるようなコンテンツがあります。

【貨幣博物館】
http://www.imes.boj.or.jp/cm/htmls/index.htm

【にちぎんキッズ】
http://www3.boj.or.jp/kids/

【東京証券取引所】

http://www.tse.or.jp/

【東証ティーンズ・スクール シェア先生の経済教室】

http://www.tse.or.jp/kids/index.html

私たちは普段から、商品を買うときにはエコマークがついているかどうか、身体に優しいものであるか、どんな素材を使っているかなど、とても注意をして買い物をしています。また、自分の子どもたちに対しては、食事のしかたや勉強の方法、勤勉の美徳などを教えています。

金融の生涯学習のためには、これと同じことを行えばいいわけです。ファンドを買うときにはＳＲＩを含めてしっかりとした運用方針があるところのものを買う、子どもたちにはお金の使い方、借り方、勉強のしかた、上手な運用方法を説明していくのです。

「金融」という言葉を聞くと、難しそうだとか、危険だといったイメージがあると思いますが、その基礎知識を一度身につけてしまえば、自分の安心を買うためにも、ワークライフバランスを整えるためにも、とても力強い味方になるのです。

＄

本書を閉じたら、まずは月々、ノーロードでインデックス投資信託の積み立てを始めてみてください。月々１万円からできます。できれば、１万円×４種類（国内株式、国内債券、国外株式、国外債券）に分けて積み立ててください。

月々４万円ずつ、22歳から積み立てていけば、税引後で４％の金利だったとしても、60歳までに４３３９万円になります（元本は１８７２万円）。ここまで元本があれば、同じく４％の税引後利回りと仮定すると、年間の金利収入だけで１７３万円、月に14・４万円の収入になります。これくらいあれば、国の年金給付が今の水準から半額になったとしてもなんとかやっていけるでしょう。この積み立ても、月額１・８万円までまでしたら、個人型確定拠出年金扱いにすることで所得控除を受けることもできます。

また、本書を読んでいる方は30代以降の人も多いと思いますが、まだ今からでも遅くはありません。35歳から60歳まで、月々４万円積み立てて、同じく税引後に４％で運用できるとしても２１２７万円も貯まります（元本は１２４８万円）。

つまり、積み立ては早ければ早いほど有利なのです。

$

本書をきっかけとして金融に興味を持ち、肩肘張らずに楽しく学んでみてください。その繰り返しできっと金融がますます好きになり、安心感や余裕を得ることができると思います。そして、金融を大切にする気持ちがきっと芽生えてくることでしょう。ただ、私たちが管理できるのはリスクのみ、そして「タダ飯はない」という鉄則はくれぐれも忘れないでください。

本書を読んだ読者の方が、金融で新しい安心を得るとともに、社会参加の手段として活用することを心から願っています。

おわりに

この原稿の最終仕上げをしていた2007年8月末、私は、前述した「キッズ・マーケットキャンプ」で、34人の子どもたち一人一人に修了証を授与する係となりました。

この講座を通して、子どもたちの目が好奇心でキラキラと輝いていくのが手に取るように分かりました。生まれて初めて「お金」というテーマに身近に触れ、先生からお金の意味を基礎から教えてもらったことは、とても驚きに満ちたものだったと想像できます。

修了式の最後に、何人かの子どもたちが感想を発表したのですが、そのうちの一人は、将来、金融、それも外国の金融市場で働きたいと語ってくれました。

修了式では、NPO法人・金融知力普及協会理事の野中ともよ氏がスピーチを行いましたが、その中にこんな言葉がありました。

「お金はもともと、生活するためのスキルとして、着る、食べる、住むといった衣・食・住と同じぐらい大切なものです。だから、本当ならお金に関することは学校で学ばなければなりません。しかし、日本では人前でお金の話をするのは恥ずかしいことと思われています。また、儲けることもズルいことと考えられています。そのため、学校ではお金についてなかなか学ぶことができません。でも、今回このキャンプに出席したみなさんは、お金はとても大事なことで楽しいことだと分かったはずです。

みなさんはもう、きっと、お父さん、お母さんよりもお金についての知識が持てたはずです。その知識を将来にぜひ生かしてください」

このスピーチは、まさに本書で私が社会人に対して説明したかったことと同じ内容でした。このように、今の子どもたちは、徐々にではありますが、この「キッズ・マーケットキャンプ」のような金融教育を受けるチャンスがありますが、私たち大人のほとんどは、良質な金融の授業を受けるチャンスがないまま、社会に出てしまっています。

しかし、野中氏のスピーチにあるように、金融というものは、私たちが生活する上で欠かせないものであり、さらに、恥ずかしいことでもズルいことでもなく、社会をよりよくする、生活の大事な基盤なのです。

$

2007年8月、アメリカのサブプライム問題で、対ドルの為替レートが120円前後から一気に113円~114円まで円高が進み、それに影響された日経平均株価が1日に800円以上も下落しました。

こうした報道を見て、「投資はやはり危険なもので、為替も株も手を出さない方がいい」と思った人も多いかもしれません。しかし、「相場は短期的に大きな下落がある」ことは「中長期的なリターンが望めない」ということではありません。株、債券、投資信託などは、上がったり下がったりを繰り返しながら、統計的には必ず値上がりしていくのです。

では、なぜ、金融商品は長期的には値上がりするのでしょうか。

世界中のすべての国々では、多くの人がよりよい生活を送るため、あるいはより安定した社会を作るため、毎日、勤勉に働いています。そして、その活動を支えるためには、誰かがリスクを取って資金的なサポート（＝金融）をしなければなりません。

そして、そのリスクを取ったことの見返りは、株・債券・投資信託などを通じ、その価値が上がることによってリターンとして必ず報われるようにできているのです。つまり、資金的なサポートを行う人がいて、初めて、私たちの社会は安定した発展が望めるのです。

さらに、私たち一人一人が、どういった会社に、あるいはどういった国に金融を行うかを決めていくことで、社会自体を変えていくことさえできる可能性を持ったものが、資本主義社会における金融の役割なのです。

$

最後になりますが、「金融は難しいもの」「金融は怖いもの」「金融は特殊なもの」「金融は自分には関係ないもの」という思い込みは捨ててください。そして、「金融はお金儲けのためだけにあるのではなく、私たちの生活を支え、社会をよりよくするための基盤なのだ」という観点から金融活動に興味を持ち、リスク管理された適切な投資を行ってみてください。

あなたが「金融」という新しい味方をつけることで、いろいろな不安が緩和され、社会との関わりにより喜びが持てるようになると思います。

$

本書の執筆にあたり、次の方々には大変お世話になりました。末筆ながら、厚く御礼を申し上げたいと思います。

本書の企画を私に発案し、『会社でチャンスをつかむ人が実行している本当のルール』(ディスカヴァー・トゥエンティワン、２００７年)の共著者でもあるジャーナリスト、福沢恵子さん。福沢さんの「このような本が欲しい」という思いがなかったら、本書は生まれなかったと思います。

本書の担当編集者であり、ついつい専門的になり、なぜそうなるのかといった話のロジックを私が書き飛ばしてしまうことを根気強く諫《いさ》め、金融に知識のない読者に対しても分かりやすい内容にするために細心の注意を払ってくださった、光文社新書編集部の小松現さん。小松さんの指摘がなければ、何がどう分かりにくいのか、何をどう補足すればいいのか分かりませんでした。また、本書の企画時に相談に乗っていただき、アドバイスをくださった同じく光文社の吉田るみさん。私の「このようなことを考えているのですが、本になりませんか」という唐突な相談に丁寧に対応してもらいました。

日米のリスク回避度を調べる際、ディスカッションペーパーの内容や計算式について、私のさまざまな質問に丁寧に答えてくださった大阪大学大学院の木成勇介さん。毎回、質問をすると数時間以内にメールでお答えいただきました。

社会責任投資の歴史と現状、そして今後の課題について、この分野の第一人者としてインタビューに丁寧に応じてくださった大和総研の河口真理子さん。日本は欧米と比べてなぜSRIの普及が遅れているのか、より深い知見を得ることができました。

早稲田大学ファイナンス総合研究所所長・商学学術院教授の水上慎士さん。「キッズ・マーケットキャンプ」の塾長として、私に参加してみないかとお声をかけてもらった上、義務教育における金融教育の現状についていろいろな知見をいただきました。

NPO法人・金融知力普及協会理事の野中ともよさん。野中さんとはこれまでにもさまざまな会合でお話しする機会がありましたが、野中さんはいつも世界情勢や金融、経済を俯瞰して眺め、それを分かりやすい言葉で置き換えてお話しくださいます。

投資信託の部分を中心に、多くのアドバイスをいただいた京都大学産官学連携センター寄付研究部門准教授の瀧本哲史さん。特に国内外の事例についてご情報をいただき、大変参考になりました。

本書は、このようにたくさんの方々によって費やされた労力の結集によって作られたものです。一人でも多くの方に「本書を読んで自分の行動が変わった」――そういっていただくことができれば、それが私にとって一番の喜びです。どうもありがとうございました。

２００７年10月

勝間和代

【参考文献】

"Behavioral Macrodynamics based on Surveys and Experiments"
（大阪大学ディスカッション・ペーパー、木成勇介氏、２００６年）
『〈平成18年版〉国民生活白書』（内閣府編、時事画報社、２００６年）
「資金循環統計の国際比較」（日本銀行、２００３年）
「資金循環統計」（日本銀行、２００６年）
「金融に関する消費者教育の実情と今後の進め方」（日本銀行　金融広報中央委員会、２００１年）
「金融に関する消費者アンケート調査」〈第1回、第2回〉（日本銀行　金融広報中央委員会、２００２、２００３年）
「家計の金融資産に関する世論調査」（日本銀行　金融広報中央委員会、２００６年）
「日本銀行の広報活動と金融教育分野での取り組み」（日本銀行、２００５年）
「統計」（総務省統計局、２００６年7月号）
『リスク　神々への反逆（上・下）』（ピーター・バーンスタイン、日経ビジネス人文庫、２００１年）
「株式と債券のリスクとリターンおよびアセット・アロケーションの基本」
（山口勝業、２００６年10月、一橋大学）
「『貯蓄から投資へ』に関する特別世論調査」（内閣府、２００７年）
『セイヴィング　キャピタリズム』
（ラグラム・ラジャン、ルイジ・ジンガレス、慶應義塾大学出版会、２００６年）
『階層化日本と教育危機——不平等再生産から意欲格差社会（インセンティブ・ディバイド）へ』
（苅谷剛彦、有信堂高文社、２００１年）
『ＳＲＩ社会的責任投資入門』（谷本寛治編著、日本経済新聞社、２００３年）

勝間和代（かつまかずよ）
1968年東京都生まれ。経済評論家、公認会計士。早稲田大学ファイナンスMBA、慶應義塾大学商学部卒業。当時最年少の19歳で会計士補の資格を取得。以後、アーサー・アンダーセン、マッキンゼー、JPモルガンを経て独立。2005年、『ウォールストリート・ジャーナル』から、「世界の最も注目すべき女性50人」に選ばれる。3女の母。著書に『決算書の暗号を解け！』（ランダムハウス講談社）、『無理なく続けられる年収10倍アップ勉強法』『無理なく続けられる年収10倍アップ時間投資法』（以上、ディスカヴァー21）、『マッキンゼー 組織の進化』（共著、ダイヤモンド社）などがある。

お金《かね》は銀行《ぎんこう》に預《あず》けるな　金融《きんゆう》リテラシーの基本《きほん》と実践《じっせん》

2007年11月20日初版1刷発行
2007年12月15日　4刷発行

著　者 ── 勝間和代
発行者 ── 古谷俊勝
装　幀 ── アラン・チャン
印刷所 ── 堀内印刷
製本所 ── 関川製本
発行所 ── 株式会社光文社
東京都文京区音羽1-16-6（〒112-8011）
電　話 ── 編集部03(5395)8289　販売部03(5395)8114
業務部03(5395)8125
メール ── sinsyo@kobunsha.com

 ISBN 978-4-334-03425-2